彩图版

十万个为什么

SHI WAN GE WEI SHEN ME

科学·技术

李军 主编

北方妇女儿童出版社

你知道数字的起源吗？

数的起源可追溯到原始社会，人类在生产活动中，与野果、鱼、石头等实物打交道，从"有"与"无"，发展到"多"与"少"，逐渐形成了数量的概念。如人们用"太阳"代表"1"，用"眼睛"和"耳朵"代表"2"。除此之外，原始人还用在兽皮、树木、石头上刻划记数。如人们捕获了一头野兽，则在石头上划一横来表示，捕获了两头野兽，则划两条横线……这些记号，慢慢就演变成最早的数字符号。原始人还采用结绳记数的方法，用在绳子上打结的方法表示事物的数量。在古巴比伦、古埃及、古罗马、古印度，人们创造出各具特色的符号来表示数字。学习数学，是从学习数字符号开始的。1，2，3，4，……，9，0，就是数学中最简单又最常用的符号。研究数学，也是用数学符号来进行的。有时候，人们为了表述一个新的定律，还要创造新的符号。在历史上，从0到9这10个阿拉伯数学符号被引入数学之后，使得数学发生了巨大的变革。借助于符号，数学变得简洁明了，使用方便，而数学本身的发展速度也因此大大加快了。

你知道"黄金分割"是怎么回事吗？

"黄金分割"被誉为几何学两大

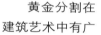

古巴比伦数字

1	2	3	4	10	45	

古埃及数字

| 1 | 2 | 3 | 4 | 10 | 11 | 12 | 20 | 100 | 1000 | 10000 | 100000 |

古罗马数字

I	II	III	IIII	V	VI	VII	VIII	IX	X	C	M
1	2	3	4	5	6	7	8	9	10	100	1000

玛雅数字

| 0 | 1 | 2 | 3 | 4 | 5 | 6 | 7 | 8 | 9 | 10 | 11 | 20 |

古印度数字

| 1 | 2 | 3 | 4 | 5 | 6 | 7 | 8 | 9 | 0 |

公元前2000年时，巴比伦人已经有了以60为基数的位值记数制。埃及人能够处理很大的数，主要应用于贸易，土地分配测量和天文学。印度人很早就已发展出一套十进位的位值记数制，并且最早使用了零这个数字。

瑰宝之一，与勾股定理并列。将一条线段分成两条线段，使其中一条线段为另一条线段和已知线段的比例中项，这样的分割称黄金分割。黄金比值是0.618，这个数也被称为黄金数。

黄金分割在建筑艺术中有广泛的应用。古埃及金字塔、古希腊帕台农神庙、巴黎圣母院、印度泰姬陵等世界闻名的建筑都采用了黄金分割原理。也正是由于黄金分割的存在，

古希腊的帕台农神庙，其建造结构体现了黄金分割的完美比例。

才使建筑物更加和谐统一。在雕塑、绘画艺术和音乐等方面，也时常会见到黄金分割的身影。特别有趣的是：人的肚脐是人体长度的黄金分割点。

原始人用在绳子上打结的方法来记数、记事。一个绳结就代表一头野兽，两头野兽就结两个绳结来表示。他们用绳结的大小来表示野兽的大小，这被称为结绳计数。

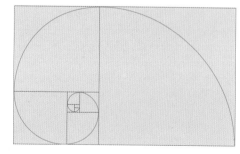

如果把一个成黄金比的长方形分割成一个正方形和长方形，割出来的长方形长和宽仍是黄金比，如果把所得长方形再次分割，仍然得到黄金比，再分下去都将如此。将各长方形对应的点连接就画出了螺壳的曲线。

为什么金刚石和石墨的物理性质相差那么大呢？

纯净的金刚石无色透明，比同体积的水重三倍半，硬得出奇，可以用来划玻璃和制作钻机的钻头，开采石油。石墨是松软、不透明的灰黑色细鳞片状晶体，它同金刚石恰恰相反，是最软的矿物之一。金刚石和石墨有着各自不同的外貌，但都是由同一种元素 — 碳组成的。为什么由同一种元素组成的物质，外貌、性质却大不

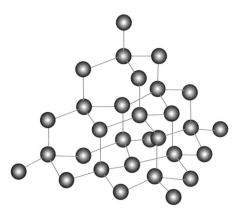

金刚石的原子结构示意图

相同呢？

科学家经过研究后，发现原来是由于它们原子的排列形式不同造成的：在金刚石结构中，每一个碳原子周围有 4 个碳原子，彼此之间的距离是相等的，原子之间组成一个强有力的整体。而石墨内部的一个碳原子同相邻的 4 个原子的距离是不相等的。离得较远的两个原子之间的"拉力"较弱，容易断裂。这样，金刚石和石墨就呈现出不同的特性。

为什么出土的古代宝剑不生锈？

1965 年，我国考古工作者在湖北江陵挖掘到一把 2000 多年前的宝剑。这把宝剑虽然在地下沉睡了多年，但是，至今仍然寒光闪闪，锋利无比。

这把宝剑千年不锈的道理在于选用的材料。我们知道，铁容易生锈，而

铜、锡不易生锈。所以古代工匠选用铜锡合金，也就是青铜打制刀剑。此外，聪明的工匠还在宝剑的表面涂上一层特殊的涂料，再将宝剑放在烈火中锻烧。这样，制成的宝剑就更不易生锈。据现代科学技术测定，这层特殊涂料含有铬，而铬是一种不易生锈的金属。这种给金属表面穿一件外衣的处理方法，与现代的金属镀铬工艺十分接近。宝剑有了这层"外衣"保护，当然不会生锈了。

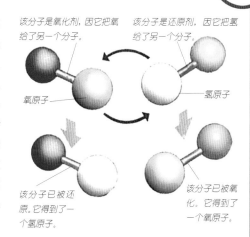

该分子是氧化剂，因它把氧给了另一个分子

该分子是还原剂，因它把氢给了另一个分子

氧原子

氢原子

该分子已被还原，它得到了一个氢原子

该分子已被氧化，它得到了一个氧原子

氧化还原反应示意图

这枚宋代的印章由象牙雕刻而成，刻有"周姓诸侯王子"六字。印文清晰方正，笔势凝重威严。

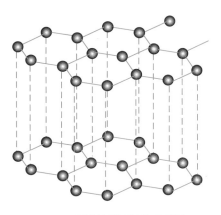

石墨的原子结构示意图

铁为什么特别容易生锈？

菜刀长时间搁置不用，它们的表面往往会锈迹斑斑。铁容易生锈，主要是由它的性质决定的。铁是一种较为活泼的金属，也就是说，它很容易与其他物质发生化学反应。在潮湿的环境中，铁很容易生锈；相反，在干燥的条件下，铁就不易生锈。空气中有氧气，铁遇到氧就会发生化学反应，铁锈的主要成分就是铁与氧反应后生成的氧化铁。除此之外，空气中的二氧化碳、含盐类的水、铁器本身含有的杂质以及表面粗糙不干净等原因，都会使铁慢慢生锈。

红色印泥为什么不易褪色？

我国各地博物馆珍藏着许多古代字画，它们尽管年代久远，纸张发黄变脆，可是留在字画上的作者印鉴，却依旧鲜艳可辨。这是因为，字画上盖章用的是红印泥，它是用朱砂加蓖麻油拌匀，再加上某些纤维性填料做成的。朱砂就是硫化汞，是一种绯红色的矿物。硫化汞的性质很稳定，不容易和氧气发生反应，因此它始终能保持鲜艳红润的本来面目。一些年代久远的字画上的颜色之所以褪色，是由于颜料与空气中的氧气发生氧化反应形成氧化物的缘故。现代人们制造的红印泥，有的已经采用某些染料来代替朱砂，它的鲜红色泽比传统的朱砂印泥更胜一筹，可是在保持颜色的持久性方面，却不如朱砂效果好。

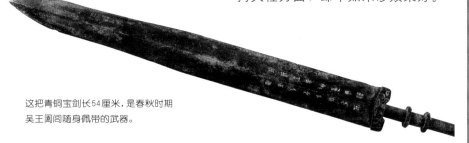

这把青铜宝剑长 54 厘米，是春秋时期吴王阖闾随身佩带的武器。

为什么小丑摔不倒？

每当看马戏表演时，人们都被台上的小丑逗得哈哈大笑。一顶尖帽子、一双大皮鞋，在台上前仰后合，醉态百出，总像要摔倒的样子，可却总也摔不倒。这里有什么奥妙？小丑之所以摔不倒，主要是他的那双大皮鞋保护了他。小丑的鞋很大，无论他如何跌撞，重心的竖直线都在鞋的支面内，或者说是在两只脚之间的连线内。这就保证了小丑的全身（包括衣服、鞋等物）的重心，在竖直方向的作用线始终落在一个可靠的支面范围内。小丑在舞台上的表演千姿百态，看起来总是要摔倒，但总也倒不了，这是物理力学中的稳定平衡原理在起作用；有时候小丑在台上的表演就像一个肉球在台上滚来滚去，小丑就进入了物理学中的随遇平衡状态。在这种状态下物体的重心在运动过程中既不升高也不降低。

杂技演员在表演"独轮车抛碗"这个节目时，关键就是要使自己身体的重心和独轮在一条直线上。

轮船为什么不会沉在水里？

随着科学技术的发展，人们造的船也越来越大，现在的航空母舰的自重可达万吨以上，这么重的船在水里为什么沉不下去呢？这是因为水有一个特性，它对进入水中的物体会产生浮力。浮力的大小等于物体排开的水的重量。如果物体浸没在水里，它所排开的水里的重量小于这个物体的重量，那么物体就沉下去；如果大于这

早在公元前3世纪，古希腊科学家阿基米德就发现了著名的阿基米德原理：处于气体或液体中的任何物体，都受到一个向上的的作用力。这个力的大小等于被物体所排开气体或液体的重量。

个物体的重量，物体就浮在水面上。钢铁制造的大轮船能够满载货物和乘客而不沉，就是运用了浮力这个科学原理。要使大轮船不沉，就必须使大轮船受到的浮力超过船身、货物和乘客加在一起的总重量。造船时，先将船的载重量定下来，然后计算出要有多大的船身，才能使浸没在水里部分的船体所获得的浮力，最大限度地超过船身承受的全部重量。这样设计制造出来的轮船，就能十分平稳地航行在海面上。

为什么用木棍能撬动重物？

用一根小小的木棍为什么能撬动很重的大石头？这是运用了杠杆原理的缘故。

我们把撬动大石头所用的力叫做动力，把大石头的重力叫做阻力，木棍下面的小石头叫支点。杠杆有个特点，就是支点离阻力越近，我们会觉得越省力。所以我们把小石头垫在靠近大石头的地方，只要用不大的力，就能撬动大石头。有一个公式，就是：阻力×阻力到支点的距离=动力×动力到支点的距离。木棍撬动石头这种

情况是第一类杠杆，如果阻力在中间，叫做第二类杠杆。如果动力在阻力和支点之间，就是第三类杠杆。这三类杠杆作用，我们在日常生活中都经常用到。

为什么潜艇能潜水？

潜艇与普通船舰不同的地方，就在于它在海里能上能下，并可以在海洋深处航行。潜艇的壳体是双层的，在内壳与外壳之间，分隔成若干个压载水舱。潜艇如需下沉，只要打开水舱的进水阀，让海水灌满各个水舱，潜艇就会下沉。若要上浮，只要关闭进水阀，把水舱里的水通过排水阀压出去。若要在一定深度航行，就把水舱的水保持到合适程度。水舱的水能调节自如，潜艇也就能升降自如。

鱼在水中游来游去，忽高忽低，自由自在，因为有鳍可以帮助它控制身体在水里的深度。潜水艇也同样有"鳍"，它的"鳍"装在首部和尾部，叫升降舵或水平舵。首部的升降舵向上，尾部向下，潜艇就往上浮；首部的升降舵向下，尾部向上，潜艇就往下沉；升降舵保持水平位置，潜艇就在水中平行前进。

大海海面波涛汹涌，但在200米以下的地方，经常是平静的，所以潜艇在深海里航行，不受风浪影响。

潜艇结构示意图
电子桅杆
潜望镜
螺旋桨
升降舵
声纳基阵

潜艇升降工作原理图

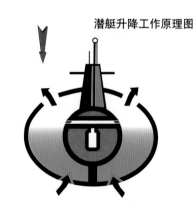

为什么说地热对人类具有重大的作用？

地热资源是指地下热水、高温岩体和蒸汽等能源。人类对地热资源的利用主要有发电和直接利用两大类。

地热发电站地处边远的深山里，它是利用地下几千米深处所产生的蒸气来推动汽轮机发电的。地热发电被称为继水力、火力、核能之后的第四大能源。有人算计过，如果按照目前世界上的动力消耗速度完全使用地下热能，那么用4100万年以后，地球温度只降低1℃。目前，世界上许多国家都建造了地热发电站。到20世纪90年代初，世界各国每年的地热发电总量已超过500万千瓦。

地热的直接利用一般指温度在150℃以下的地热流体的利用。这些地热资源广泛用于工业、农业以及其他各个方面。世界地热资源的直接利用各具特色：日本主要用于洗澡；冰岛主要是区域供热；匈牙利主要是农业温室……我国的地热直接利用也占有相当地位，西藏的羊八井地热电站

在寒冷的冬天里堆雪人是一件令人非常高兴的事。

早已闻名于世；广东、福建、江西等处均已发现多处热泉；而北京的温泉浴池、陕西临潼的华清池早已家喻户晓。在当今世界面临能源危机的时代，开发人类脚下巨大而诱人的深部能源——地热，具有很大的意义。

脏雪为什么比干净的雪化得快？

寒冬腊月，我国北方地区经常大雪纷飞，房顶田野，白茫茫一片。厚

厚的积雪如果不及时扫除，一经踩压，便会封冻，凝成冰层，严重阻碍道路安全畅通。为了让道路上的积雪尽快融化，有经验的人取来煤灰沙土，将它们均匀地撒在积雪面上。这招真灵，当晶莹的白雪被煤灰一掺和，用不了多少时间，它们便会融化成水，露出地面来。其他没有撒过煤灰的积雪，融起来就慢多了。造成这样的差别是因为撒上煤灰的雪能够吸收大量太阳光的热，没有撒上煤灰的白雪却会把太阳光的热反射回去。脏雪和干净雪受热多少不同，造成它们一个融得快，一个融得慢。夏天天气热，人们穿浅色衣服；冬天天气冷，人们穿深色衣服，就是利用颜色深吸热、颜色浅反射热的科学原理。

火的使用使古代人类摆脱了黑暗。

为什么火苗总是向上窜？

火苗不管是大是小，总是方向一致地向上窜。这是为什么呢？原来，燃烧时产生的热量把火苗周围的空气烤热，并使之膨胀变得稀薄（密度变小），浮力增大。热空气包裹着火苗徐徐上升使火苗向上窜。热空气上升后留下的空缺，冷空气就从四面八方不断地流过来补充。补充来的冷空气又被烤热，膨胀、变稀薄、浮力增大，而徐徐上升。就这样：上升——补充——上升……周而复始，从而使火苗总是向上窜。

但是如果在人造卫星上，由于处于失重状态，那时看到的就是一团球形的火，而不是尖头朝上的火苗了。

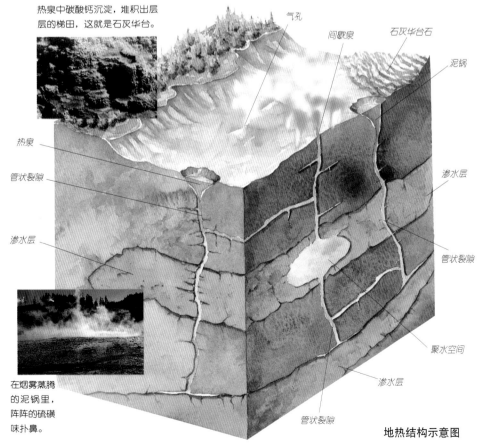

热泉中碳酸钙沉淀，堆积出层层的梯田，这就是石灰华台。

气孔

间歇泉

石灰华台石

泥锅

热泉

管状裂隙

渗水层

渗水层

渗水层

管状裂隙

聚水空间

管状裂隙

在烟雾蒸腾的泥锅里，阵阵的硫磺味扑鼻。

地热结构示意图

为什么水能灭火？

水为什么能灭火？要回答这个问题，首先要清楚物质怎么会着火。一般的火总是由物质燃烧引起的。物质的燃烧要有一定的温度，还要有氧气的帮助。氧气就在空气之中，几乎到处都有。物质不到着火点就不会燃烧，没有氧气帮助也烧不起来。明白这个道理，就找到了灭火方法。水是不会燃烧的，它遇热以后变为水蒸气。把大量的水泼到燃烧物上，它会立即包围燃烧物，吸收燃烧物的热量，降低燃烧物的温度，隔断空气助燃。难怪人们常说"水火不相容"呢！但水能灭火是就一般情况而言，如果是油料着火，那就千万不能用水去泼。你见过炒菜时油锅蘸水的事吗？水落到油锅里，会使油花四溅，躲也

消防人员正在用高压水枪灭火。

来不及。道理很简单，因为油比水轻，不能和水融和在一起。燃烧着的油遇水会四散分开，浮在水上，使火势更旺更猛。如果炒菜时油锅爆火，只需把锅盖盖上，这时，外界的氧气不能进入锅里，火自然就熄灭。

为什么说墨镜对登山运动员是必不可少的？

登山运动员在攀登高山时，人人都要戴一副墨镜，这可不是为了讲气派。墨镜对登山运动来说，是他们保

对我们来说，在日光强烈的户外活动时，应避免光线对眼睛的伤害。

护眼睛必不可少的器具。登山运动员攀登的大都是四五千米以上的高山，那里空气非常稀薄，灰尘极少，所以太阳光特别强烈。另外，这些高山的山坡和顶峰上都积聚着厚厚的白雪。白色的东西，很容易把强烈的太阳光反射出来。我们知道，太阳光里包含着大量人眼看不到的红外线和紫外线。阳光越强烈，红外线和紫外线的量越多，如果毫无遮蔽，直接照射到眼睛的视网膜上，就会灼伤视网膜的视觉细胞，轻的引起视力减退，严重的会导致完全失明，医学上叫做雪盲。登山运动员戴的墨镜，镜片玻璃里含有能吸收红外线和紫外线的化学药物氧化铁和氧化钴。这两种化合物加入玻璃原料里，成为专门制造登山运动员用的墨镜的特种玻璃。

在黑夜中，为什么夜视镜能看清物体？

在伸手不见五指的茫茫黑夜中，当你戴上一个特殊的"夜视镜"，就可发现行人、车辆和其他许多目标。这是什么道理呢？

夜视镜是用红外线装置来探测目标的。红外线是波长介于可见光和微波之间的电磁波。红外技术就是利用物体发射、吸收或反射红外辐射的物理特性，通过红外装置进行辐射测量、红外光谱分析、分光辐射测量和热成像等达到搜索、跟踪、测量、检测、监控、定位、分析等目的的技术。这项新技术是第二次世界大战后发展起来的。卫星上的热成像装置能辨别温差为 $0.2℃$ 的目标，能识别导弹发射井，发现水下40米深的潜艇，连人群或汽车通过后产生的热辐射都能探测出来。

红外技术已逐步向民用推广，用于宇航、钢铁、金属加工、石油化工、电力、电子、铁路、纺织、食品等工业，有的是通过测量物体的热辐射来测温或监控，有的是用于对物质进行吸收光谱分析，有的是利用热成像装置进行产品检查、材料无损探伤、地下管道暗线定位。农业方面利用多种红外仪器研究农作物的光合作用、光能作用、土壤和二氧化碳施肥等。它在医学方面有着广泛用途，如用红外热像仪诊断疾病。

右侧的两幅照片反映了未装备夜视镜和装备了夜视镜后的不同夜视效果。

电灯泡为什么会发光？

电灯泡的灯丝，是用细钨丝绕成的，呈螺旋状。一般钨丝加热到100℃时就开始发光。而钨丝能耐受2300～2500℃高热。在玻璃制成的电灯泡里，抽走空气，装入氮、氩等不燃烧气体，然后密封起来，这就成了电灯泡。当电流从电线里流进灯丝（钨丝）里时，由于灯丝的电阻相当大，就产生了高热，热到一定程度就发起光来。电灯泡就是"因热而发光"的，因此发光的电灯泡非常烫，所以千万不要用手触摸。

1879年美国发明家爱迪生发明了世界上第一只灯泡，从此灯泡走进千家万户，为人们带来了光明。

为什么汽车的雾灯用黄色光？

大雾天，驾车在道路上行驶很不安全，解决的办法就是打开车头上的雾灯。雾灯的灯光是黄颜色的，它能透过浓雾，照亮前方道路，并且表明自己的位置，避免与迎面来的行人、车辆碰撞。

雾灯不用醒目的红光而用黄光，是有科学道理的，雾灯的光必须要有散射的作用，让照射出去的光尽可能向前方散布开来，使迎面来的车辆和行人既看清目标又不刺眼。光有一个特性，波长越短的光，越容易被散射。黄色光的波长比红色光的波长差不多

雾灯对于行驶汽车的安全十分重要。

短1/3，黄色光的散射强度是红色光的5倍。由此可见，采用黄色光作为汽车雾灯的光色，比用红色光效率高得多。

黄色光不仅用在汽车雾灯上，日常生活中也经常能看到它的特殊应用。例如，城市道路的十字路口，深更半夜，交通指挥灯停开了，而路中央有一盏黄灯一闪一闪地发出间断光芒，使深夜高速行驶的车辆驾驶员在很远的地方就能发现，以便及时降低车速，安全驶过路口。

望远镜为什么有望远的作用？

拿起望远镜，本来是很远的景物，一下子仿佛就在眼前。巨大的天文望远镜还能把月球表面的许多环形山看得清清楚楚。望远镜的这种功能，靠的是前后两块玻璃片：前面一块叫物镜，直径大，焦距长；后面一块叫目镜，直径小，焦距短。物镜把远处反射过来的光线汇聚成一个倒立的、缩小了的实像落在目镜的前焦点处，这样对着目镜望去，可以看到一个放大了许多倍的虚像。所以用望远镜观察远处的东西，就仿佛近在眼前。

意大利科学家伽利略最早研制出了实用的望远镜。他用了一个夏天的时间，先后造出了两架望远镜，其中的一架能把物体移近30多倍。他用这

架望远镜，看见了月球上的环形山，还发现了木星的4颗卫星。

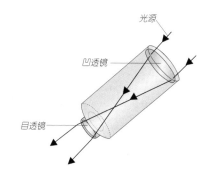

折射望远镜有一个很大的凸透镜，能使光发生折射，远处的物体形成一个上下颠倒的影象。

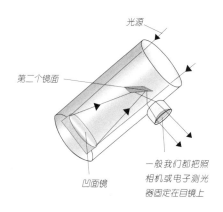

近代的天文望远镜大多是反射式望远镜，它们都带有一面能收集、聚拢光线的大型凹面镜。第二个镜面将光线反射到目镜或摄像机。

折射和反射望远镜工作原理图

筷子伸进水里真的断了吗？

光是沿着直线传播的。如果光从两种不同的物质中通过，那么在这两种物质交界的地方，光的传播方向会发生改变，这叫做光的折射。

光从空气进入水里，因为水比空气的密度大得多，于是，在水和空气相交处发生了折射，不再沿着原来的方向传播。我们把筷子伸进水中，我们见到的水下那部分筷子，是已经发生了折射后的光线里的筷子。这股光线当然不会与水面的光线成一条直线，所以筷子没有断，而看起来却像是断了一样。

放大镜是怎样把物体放大的？

放大镜的形状是两边薄，中间厚。光线通过它的时候会发生折射，聚到一点上。我们把这一点叫焦点。

用放大镜看东西时，如果我们的眼睛正好在这个焦点上，从物体来的光线经过折射后进到眼睛里，眼睛就会以为光线是从远方直接射进来的，使我们觉得这个物体比原来大了许多。

使用放大镜观察物体的时候，首先要使物体和镜面保持平行。然后调整放大镜和物体间的距离，直到要看的物体十分清楚时为止。这时，我们的眼睛正好是在放大镜的焦点上。

通过放大镜，我们能看清平时看起来非常细小的事物。

另外，千万不要用放大镜看太阳。因为放大镜能把阳光聚集在一起，温度很高，会把眼睛烫伤。

由于放大镜镜面玻璃凸透的程度不同，放大的倍数也不一样，有三倍的，五倍。因此，在购买放大镜时，要问清所购买的放大镜是能放大几倍的。

为什么傍晚的天空是红色的？

黄昏的彩霞真是美极了，天空不再是蓝色的，而变成一片绚丽的红色。

为什么会这样呢？这是因为地球周围包着一层很厚的大气层，空气虽

傍晚的天空，云朵被映成了红色。

然是透明的，但是空气中含有许多微小的尘埃、冰晶和水滴，太阳光是穿过这层厚厚的大气才照到地球表面的。太阳光是由红、橙、黄、绿、蓝、靛、紫七种颜色组成的，白天的时候，太阳光穿过大气层时，红色光的波长最长，透射的能力最强，一直透射到地面上；而蓝色的光在碰到空气中的尘埃和水滴时，散射到四面八方，所以我们看到的天空就是蓝色的。

黄昏时的太阳光斜着穿过大气层，光线在空气中走过的距离比白天远得多，容易分散的蓝光在离我们很远的途中就都散射掉了，几乎没有蓝光能进到我们的眼睛里。而红色的光却能跑得很远，经过大气层一直进到我们的眼睛里，这样我们看到的天空就是红色的。

平时，也许你也注意到，不仅早晚的太阳是红色的，当空气中灰尘特别大或透过雾气看太阳和灯光时，也都是红色的，这是因为蓝色在经过尘埃和水滴时散射了，只有红光进到我们的眼睛里。

焰火为什么会有各种各样美丽的颜色？

为什么焰火会有各种各样的颜色呢？

焰火的构造分两部分：底部是普通的火药，它的作用是点燃后把焰火送上天；顶端装有燃烧剂、助燃剂、发光剂和发色剂等。燃烧剂、助燃剂起引爆作用，使焰火燃烧得更充分。发光剂里含有铝粉和镁粉，这些金属粉末在燃烧时放出白炽的光芒，增添焰火的亮度。发色剂是整个焰火的灵魂，它含有各种金属盐类，这些金属盐类在高温下，会放射出各种不同颜色的光芒，如钠盐放出黄光、锶盐发出红光、钡盐发出绿光、铜盐发出蓝光……焰火升空后，就是利用了不同金属盐类的氧化反应，才使节日之夜呈现出一片绚丽多彩的景象。

香港回归时，天安门广场上空燃放起了美丽的焰火。

电是如何被发现的？

早在2500年前，希腊人便发现琥珀和毛皮摩擦后，能吸引头发和软木屑。我国汉代学者王充，在文章中也谈到过乌龟壳摩擦后能吸引小东西。但是古代人都搞不清楚产生这种现象的原因。

18世纪的美国科学家富兰克林发现电分为正电和负电，他还把闪电从天上引下来，证明了闪电和人工产生的电是一样的。直到1831年，英国物理学家法拉第发现电和磁有关系，把磁铁插进线圈中再拿出来，线圈便产

闪电是自然奇观之一，它能量巨大，十分危险。电击一般发生在高处。

生了电流。根据这个实验，后来人们发明了发电机，才可以人工制造出电流。

电现在已经成为我们生活中的一个部分，现代生活一刻也离不了电。

电子手表为什么走得特别准确？

机械手表每隔一段时间就要紧一次发条，如果不紧发条表就会走慢。而电子表的时间总是很准确的，这是为什么呢？这是因为手表走时的准确性，主要取决于机芯中振荡元件的振荡频率的稳定性。振荡频率的稳定性，又与振荡频率的高低有关，频率越高，单位时间的误差就越小，走时就越准确。比如："快摆"手表的摆轮的振荡频率每秒是3～5次；电子手表的石英谐准器的振荡频率是每秒

32768次。电子手表比机械手表的振荡频率高出1万倍。也就是说，电子手表的误差用万分之几来计算，而"快摆"手表则是用几分之几来计算。由此可以看出，电子表比机械表走时准确多了。另外，电子表不用齿轮等机械零件，这样就避免了机械零件的摩擦损耗和金属热胀冷缩等因素造成的误差。石英电子表1年仅差半分钟，超高频石英表的年误差可不超过3分钟。近年来，科学家用振荡频率高于石英谐振10万倍以上的原子振荡器，创造出走时准确度可达100年误差1秒的原子表。

为什么静电复印机能连续复制文件？

静电复印机是现代办公用品之一。它以高速、优质、逼真的复制能力取代了相当一部分打字、油印等老式的设备，还大大提高了办事效率。

当你看到一张张复印件只要几秒钟就能随着复印机的运作而产生出来的时候，你头脑里是否掠过一丝好奇：静电复印机是怎样工作的呢？

原来静电复印机里有一个光导板或光导鼓。光导板是用玻璃半导体做成的，它在没有光照射光线去掉，它又立刻变成了绝缘体。人们就是利用它的这种奇妙特性，制成复印机光导板（或光导鼓）。它就是复印机的心脏。

在复印时，机内的光源把需复印的文件图像照射在充了电的光导板上。于是光导板变成了电导体，且在它上面形成了一幅静电图像。让图像吸上油墨，再复印到白纸上，经过机内加热，就成了一张与文件完全相同的复印件。当一张文件复印完毕，光导板重新

计时准确的石英电子表被大量应用在体育比赛上。

处于无光照射的状态，又可以充电，准备复印下一张复印件。这就是静电复印机为什么能连续复制文件的道理。需要注意的是，复印机在使用中排放出的臭氧具有强烈的氧化性能，人吸入受臭氧氧化的氮氧化合物后，会产生神经中毒、呼吸器官疾病，使视力下降，记忆力衰退等症状。

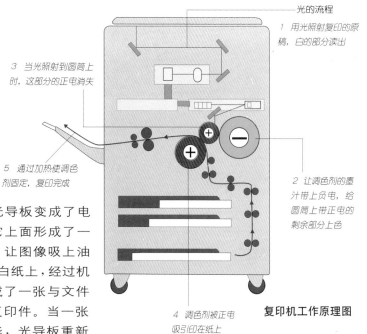

光的流程

1 用光照射复印的原稿，白的部分读出

3 当光照射到圆筒上时，这部分的正电消失

5 通过加热使调色剂固定，复印完成

2 让调色剂的墨汁带上负电，给圆筒上带正电的剩余部分上色

4 调色剂被正电吸引印在纸上

复印机工作原理图

为什么家用电度表上标有两种使用电流数据？

我们点电灯、看电视、听收音机、吹电扇等都要用电。每个家庭都接有一只电度表，它是用来计量每个家庭用电量的依据。计量电能消耗的单位为"度"，即"千瓦小时"。

在电度表的铭牌上，都标有"5(10)安"或"3(6)安"的字样，这表示电度表电路中的标准计量电流是5安培或3安培，括号内的数字则表示在正常情况下，电度表允许通过的最大电流值（亦称额定电流或过载电流）。电度表的额定容量近似于电流和电压的乘积，短期过载量为其2倍（括号内数值）。例如常用的5安培电度表，其额定容量为5安×220伏

电度表，如10(20)安。另外，使用家用电器的时间最好错开，防止因几台电器同时使用而超过电度表容量。

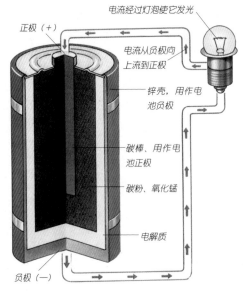

电流工作原理图

正极（+）
电流经过灯泡使它发光
电流从负极向上流到正极
锌壳，用作电池负极
碳棒，用作电池正极
碳粉、氧化锰
电解质
负极（一）

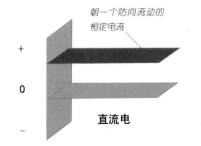

朝一个防向流动的恒定电流
+
0
—
直流电

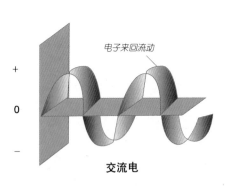

电子来回流动
+
0
—
交流电

直流电和交流电示意图

=1100瓦，短期过载容量约为2200瓦。也就是说，5安培的电度表只允许不超过2200瓦的家用电器短期工作，否则就会烧坏。另外，虽然每一台家用电器的功率未超过电度表的额定容量，但如果几台家用电器同时使用，功率加起来大大超过2200瓦，也是过载。

因此，如果购置功率较大的家用电器，应申请使用额定容量大一些的

你知道电池是谁的发明吗？

人类对电磁现象的认识很早，而制作电池这种稳定提供电流的设备是18世纪的事。公元1775年，意大利科学家亚力山德罗·伏特因为对电流有兴趣而发明了用来产生静电的仪器（起电盘）。那时，大多数科学家认为电流与动物的组织有关。1794年他开始单用金属试验，发现产生电流并不

伏特像

需要动物组织。1800年，伏特发明了人类历史上第一个电池。1801年，他在巴黎把电池表演给拿破仑看，拿破仑封他为伯爵和伦巴第王国参议员。奥地利皇帝在1815年任命他为帕多瓦大学哲学学院院长。为了纪念他的成就，人们在1881年用伏特来命名电压。

变压器为什么能改变电压的高低？

发电厂发出的电，必须先用变压器把电压升高到几万伏特或几十万伏特的超高电压，然后经输电线输送到用电的地方，再通过变压器把高电压降低到适合家用电器等使用的220伏

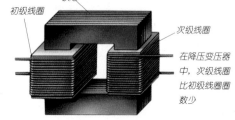

铁芯
初级线圈
次级线圈
在降压变压器中，次级线圈比初级线圈圈数少

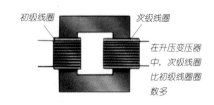

初级线圈
次级线圈
在升压变压器中，次级线圈比初级线圈圈数多

变压器结构示意图

特。在整个输电过程中，变压器就像魔术师一样，把电压一会儿变高，一会儿又变低。

变压器一般有两个绕在同一个闭合式铁心上的独立线圈。铁心用硅钢片一片片叠成。与发电厂输出电路相接的一个线圈叫做初级线圈，另一个叫次级线圈。初级线圈和次级线圈数量的不同使电压能够实现高低变化。

为什么说核能是最有前途的能源之一?

所谓核能发电，就是用"原子锅炉"燃烧核能料来发电。那么，1千克核燃料铀能发多少度电呢?说出来你也许不信，它能发800万度电!而1千克煤却只能发3度电。所以，核能是新能源世界里的"巨人"。

与其他能源相比，核能又是一种安全可靠的能源。例如，英国北海油田爆炸死亡了166人;美国在往火力发电站运煤的过程中，每年约有100人死于交通事故;而井下采煤，每采100万吨煤难免死亡几人。比较起来，核电站的风险要小得多。

核能发电的成本，早在20世纪70年代初，在一些工业发达国家已与火力发电成本相当。后来，由于石油价格上涨和核电技术的提高，核电成本已低于火力发电成本。在法国，核电

风车是最早代替人力的动力机械之一。为了有效地工作，风车装有一套复杂的转向装置使风车的风叶始终正对着风向。

的成本比火电要低30%。随着核电技术的不断进步，核电的成本将会更加低于火力、水力发电。由此看来，核能发电前景自然是十分诱人的。

风能为什么是一种"无形的煤"?

风包含着巨大的能量:风速为每秒9～10米的五级风吹到物体表面上，每平方米面积受力约100牛顿;风速为每秒20米的九级风，每平方米面积上受力约500牛顿;飓风的风速可达每秒50～60米，每平方米物体表面受力为2000牛顿。

如果把风力开发出来为人类服务，那将是一笔巨大的财富。据有关科学家测算，全世界每年燃烧煤发出来的能量，只及风力在一年内可为我们提供能量的1/3000。所以，有人将风能称作为我们肉眼看不见的"无形的煤"。

由于风能的大小与风速的立方值成正比，因此，风力发电机应尽可能安装在理想的风场，这种风场就称作"风力场"。近年来，各国在选定的"风力场"上，集中了一大批风力发电机，联合向电网供电。

这项新技术为大规模开发利用风能，节约矿物燃料和水力资源，保护地球生态环境，解决日益增长的用电需要，开辟了一条新路。

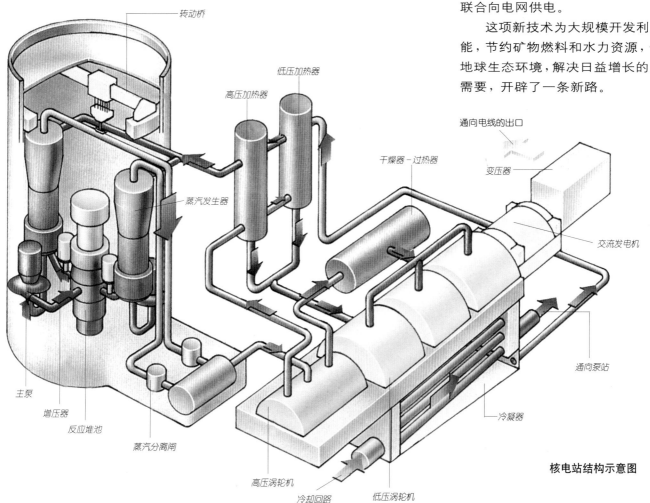

核电站结构示意图

为什么要修建蓄能电站？

电力供应与实际需要之间存在着一定距离。不管是水力、火力或核动力发电，只要投入正常运转，就不许突然停顿。而用电的情况，通常白天厂矿开工，机关办公，商店营业；晚上则是万家灯火。因此，早上6点到晚上10点是用电高峰，电厂的电往往不够用；到了晚上10点到第二天6点，用电户极小，成为用电低谷。电厂发出的电用不完，剩余的电能白白浪费掉了。为了解决这个矛盾，世界各国已在投入应用抽水蓄能电站。所谓抽水蓄能，就是利用发电厂多余的电驱动水泵，把水从水池里抽到高处的水库储存起来；到了用电高峰时，把储存在高处水库的水从泄水管放出来，带动水轮发电机发电。

现在抽水蓄能电站里常用的是一种具有复合功能的可递式机组，这种机组将水泵和水轮机结合在一起，叫做可递水泵—水轮机；将发电机和电动机结合在一起，叫做可递式电机。

需要抽水蓄能时，水泵—水轮机就起水泵作用，电机就起电动作用；需要发电时，水泵—水轮机就起水轮机的作用，电机就成了发电机。

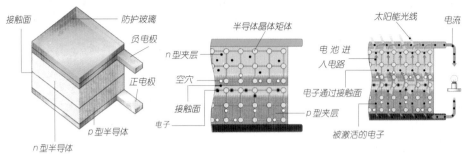

太阳能电池的结构：在两个电极之间，n型半导体和p型半导体相互结合，整个电池被玻璃外罩保护着。

结合电池：由于和空穴的运动通过接触面，在n型与p型半导体之间产生电压。

电流：太阳光照射在电池上，激活了电子。它们受接触面电压的影响而运动，流入外部电路。

太阳能电池板结构示意图

为什么太阳能电池板能够发电？

屋顶上排满太阳能电池板，就可以实现家中用电的自给。太阳能电池板也同晶体管一样，是由半导体组成的。它的主要材料是硅，也有一些其他合金。

太阳能电池板的表面由两个性质各异的部分组成。当太阳能电池板受到光的照射时，能够把光能转变为电能，使电流从一方流向另一方。太阳能电池板就是根据这种原理设计的。

太阳能电池板只要受到阳光或灯光的照射，一般就可发出相当于所接收光能1/10的电来。为了使太阳能电池板最大限度地减少光反射，将光能转变为电能，一般在它的上面都蒙上了一层防止光反射的膜，使太阳能电池板的表面呈紫色。不久前，科学家研制成功了一种高效的太阳能电池板。它不仅白天能提供电能，而且在夜间也可提供电力呢！

水电站工作原理图

为什么说煤浑身是"金"？

在日常生活中，人们常用煤作为燃料来烧水、煮饭、取暖，或者用煤来发电、开火车……因为煤在燃烧时会产生很强烈的火力。但煤的真正价值不止于此，煤浑身是宝，如果把煤用干馏方法进行加工，可以得到四种宝贵的东西：一是焦炭。焦炭燃烧时产生的热量比普通煤炭产生的热量大得多，可以用来冶炼金属。二是煤焦油。别看它又黑又臭，貌不惊人，可是只要把它蒸馏一下，就可以得到轻油、中油和重油。轻油和中油再经过处理，可以得到苯、甲苯、酚和萘。这些都是化学工业上的重要原料，如苯和萘可以用来制染料、杀虫剂；甲苯可以制炸药、颜料；酚可以制消毒剂和塑料原料。重油经处理后，可成为汽油和其他多种燃烧油。就是煤焦油的最后残余物—沥青，也是极好的铺路材料。三是煤气。煤气不仅可供千家万户作燃料，还可以制取氢气和甲烷，提取氨气生产氮肥……四是氨水。氨水可作氮肥，也可用来制造硝酸。

总之，把煤当作燃料，仅仅是利用了煤炭价值的一部分，而其他东西全烧掉了。

为什么说潮汐和波浪也是能源？

潮汐蕴藏着巨大的能量，人们称它为潮汐能。我国海岸线长达 18000 多千米，潮汐能至少有 3000 万千瓦，年发电量在 1000 亿度以上。

在汹涌波涛的海洋中也蕴藏着巨大的能量。据科学家计算，每平方千米海面上的滚滚波涛大约蕴藏着 20 万千瓦的能量。地球上海洋总面积达 3.6 亿平方千米，它们所蕴藏的波浪能也就可想而知了。当然，并不是所有海面上的波浪都能开发利用。据估

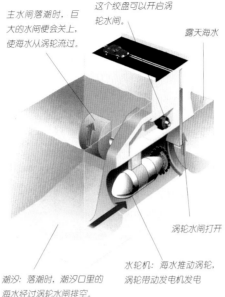

主水闸落潮时，巨大的水闸便会关上，使海水从涡轮流过。

这个绞盘可以开启涡轮水闸。

露天海水

涡轮水闸打开

水轮机：海水推动涡轮，涡轮带动发电机发电

潮汐：落潮时，潮汐口里的海水经过涡轮水闸排空。

潮汐发电机落潮时的工作原理图

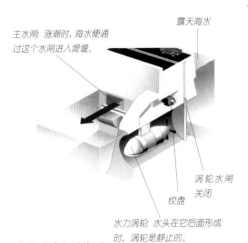

主水闸：涨潮时，海水便通过这个水闸进入堤堰。

露天海水

涡轮水闸关闭

绞盘

水力涡轮：水头在它后面形成时，涡轮是静止的。

潮汐发电机涨潮时的工作原理图

算，全世界可供利用的波浪能约为 100 亿千瓦。

你知道汽车的发展史吗？

汽车自上个世纪末诞生以来，已经走过了风风雨雨的一百多年。1885 年德国工程师卡尔·本茨在曼海姆制成了第一辆汽车，该车为三轮，采用一台两冲程单缸 0.9 马力的汽油机，具备了现代汽车的基本特点，如火花点火、水冷循环、钢管车架、钢板弹簧悬架、后轮驱动、前轮转向和制动手把等。人们一般都把卡尔·本茨制成第一辆三轮汽车的 1885 年视为汽车诞生之年。

那时的汽车司机必须是勇敢、机智的机械修理工，在许多场合下他不得不"从汽车内爬出或爬到汽车下"或者到乡下铁匠那儿去修车，所以一般人是望车莫及的。他们坐在极为嘈杂和震动非常厉害的机械上，不仅要饱受路人的嘲笑和日晒雨淋，而且全然没有现在的司机的舒适和气派，那时的马车手认为汽车抢占了他们的生意，当汽车与马车并行时，他们常常扬起皮鞭抽打汽车司机。

进入 20 世纪以后，美国人亨利·福特在 1908 年 10 月发明出著名的"T"型车。1913 年福特汽车公司首次推出了流水装配线的大量作业方式，使汽车逐渐成为大众化的商品。美国成为名副其实的汽车王国。

第二次世界大战后，汽车、钢铁、建筑三大行业被誉为工业社会的"三大支柱"。1973 年爆发石油危机后，日本研制生产的小型节油汽车在 1980 年把美国赶下了"汽车王国"的宝座。20 世纪末期，美国汽车业在采取了一系列改革措施后，又重新恢复了活力。

顶盖

安全带

后视

雨刷

信号灯

大灯

保险杠

前悬挂装置

碟式刹车

后视镜

后视灯：边灯、停车灯、倒车灯、雾灯和信号灯

汽车结构示意图

汽车为什么大多是后轮推动前轮？

汽车有前后两对轮子，发动机装在前面，为什么要通过一根长长的传动轴去带动后轮，而不直接带动前轮呢?也就是说，为什么不用前轮带动后轮，而要用后轮推动前轮呢?

我们常见的汽车和卡车，是用来运输货物和乘客的,载重量的3／4都落在后轮上，前轮的负荷量通常只有1／4。载重量大，与地面的附着力就大，牵引力自然就大；载重量小，与地面的附着力就小，牵引力也小。这样看来，就不能用牵引力小的前轮去带动后轮，而必须用牵引力大的后轮来驱动前轮了。

用前轮带动后轮，由后轮负责转向的汽车也是有的；还有前轮、后轮同时驱动的也有。例如军用吉普车和农业上用的某些轮式拖拉机，为了获得更大的牵引力以适应各种坎坷、泥泞的道路，就是四轮都能驱动的车子。

为什么要把赛车设计成怪模样？

在电视里我们常常看到赛车比赛,选手们驾驶的一辆辆赛车"长"得怪模怪样，远不如我们平时乘坐的汽车好看。为什么要把赛车设计制造成这副怪样子呢?赛车既要速度快，又要安全性能好。技术人员为了尽量减小高速行驶时的空气阻力和车后气流漩涡的形成，把赛车设计成梭子状或水

滴形，并在车的头尾装上扰流板，阻止气流从车下通过，以防止赛车漂浮失控。赛车的轮胎宽大、柔软而带着粘性，使赛车紧"贴"地面，增加稳固性。赛车很矮小，从而降低了车的重心，使它在急转弯时，不易发生翻车事故。这样设计出来的赛车，车速可高达300千米／小时。

麦克拉伦－奔驰车队的F1赛车

你知道火车是谁发明的吗？

火车的发明者是英国人乔治·斯蒂芬森，他于1814年造出了世界上第一辆能在铁轨上行走的蒸汽机车，正式发明了火车。

斯蒂芬森出生于1781年,14岁那年,他来到煤矿，当上了一名司炉工。他聪明好学，很快就掌握了机械、制图等方面的知识。

1807年，斯蒂芬森开始研制蒸汽机车。他作出了一个极有远见的决定：他把蒸汽机车放在轨道上行驶，又在车轮的边上加了轮缘，以防止火车出轨。1814年，斯蒂芬森的蒸汽机车火车头问世了。这个火车

头有5吨重，可以带动总重约30吨的8个车厢。斯蒂芬森的发明还有很多缺陷，他决心制造出更好的火车。

1825年9月27日，英国的斯托克顿附近挤满了观众。一声激昂的汽笛声过后，斯蒂芬森亲自驾驶世界上第一列蒸汽机车喷云吐雾地疾驶而来。蒸汽机车后面拖着12节煤车，另外还有20节车厢，车厢里还乘着约450名旅客。观众惊呆了，不相信眼前的这铁家伙竟有这么大的力气。火车缓缓地停稳，人群中爆发出一阵雷鸣般的欢呼声。铁路运输事业从这天开始了。

此后，英国和美国掀起了一个修筑铁路、建造机车的热潮。仅1832年这1年，美国就修建了17条铁路。就这样，火车在世界各地很快发展起来了。

赛车

一列货运列车是如何编组的?

我们常常可以见到一列列长长的货物列车从车站出发驶向全国各地,它们把不同的货物输送到各个不同的城市。但是你是否思考过,在货物列车开出之前,这长长的列车是怎样形成的吗?许多车厢去的目的地都不相同。再加上出发时间不同,有的应在凌晨4点出发,有的则要在下午5时才发车。而一列货车目前最高的牵引量达到5000吨,甚至万吨。它往往由成百个或更多的货车车厢组成。

因此,如何把它们按照行驶方向、目的地、时间、数量等因素编成一列列货车,就是一个很重要的工作。这一作业的名称就叫"编组"。编组在编组站进行,站中设置有名叫"驼峰"的车场,它由许多股道组成,因形状像一个驼峰而得名。编组作业的过程包含好几个环节。即在列车到达之后,把它解体开来,再按上面几个因素把它们重新集结,编成一列列新的列车,就可以发车了。由于编组工作十分重要,不能出错,而且相当繁重,还要提高效率,因此世界各国都采用了不少高新技术,如用雷达来测速,运用计算机来实现自动化控制等等。其目标是在列车到达后直到新编列车出发的全部作业过程实现自动化。

为什么要修建地铁?

地铁作为现代城市的交通设施,已经有100多年历史。1863年,世界上第一条地铁在英国运行。到20世纪90年代,全世界已有39个国家88个城市建造了200多条地铁,每天有5000多万人次乘坐。为什么要修建地下铁道呢?实践表明,地铁具有车辆运行速度快、车次多、旅客运送量大、

高速列车

方便舒适等特点。在战时,地铁还是很好的防空掩体。让我们以上海地铁为例来说明地铁的优越性。

第一,速度快,节省时间。上海地铁1号线全长16.2千米,共设13个车站。地铁的速度比公共汽车快两倍多,原来需要1小时的路程,坐地铁只要20分钟。第二,车次多。行车间隔为2分钟。第三,客运量大,方便舒适。上海地铁车辆是从德国引进的。车厢每节长23米,宽3米,可载客400多人。车厢内比公共汽车宽松,高峰时,每平方米站立5~6人,而公共汽车是12人。

现在,大多数城市的地铁车站内设置空调,并设有闭路电视、广播、自动防灾报警系统,还有百货商场,可说是一个安全舒适的小天地。

城市高架铁路安全吗?

城市高架铁路是一种便捷的城市交通工具。高架铁路采取了很多防噪措施,与普通铁路相比,其噪声要小得多。高架铁路还可以带动沿线的经济繁荣。但是,城市的市民对高架铁路的噪声、景观以及安全等问题十分关心。有些人对高架列车在头顶上飞驶有恐惧感,乘坐者有时也会担心列车出轨翻落。实际上,高架列车的安全运行有许多保障措施,其中之一是它在坚固的导向钢轨控制下行驶,其本身就十分安全,即使万一出轨,还有护轮轨和防护墙防止它出轨后翻车。因此,高架铁路是一种十分安全、便捷的交通工具。

方便快捷的地铁是现代都市主要的交通工具之一。

高架铁路在西方国家投入使用多年,技术已经十分成熟。它可以有效地缓解城市的交通压力。

火车能悬浮在铁轨上行驶吗？

在不久的将来，我们能够乘坐一种完全新型的火车 —— 能悬浮在铁轨之上的磁悬浮列车，去各地旅游。目前世界各国都在纷纷研制新型的高速列车。法国的高速列车试验速度达380千米／小时，实际运行速度为260～360千米／小时。日本新干线高速列车实际运行速度为210千米／小时。现在的火车由于车轮与铁轨间的摩擦、噪声、震动等等问题，再要提高速度已十分困难。磁悬浮列车是利用电磁相互作用力，使列车在轨道上空悬浮起来高速运行的新型交通工具。由于车轮与铁轨间不接触、无摩

帆船是古代人们普遍使用的海上交通工具。

通过电磁铁的电流量可以自动调节，使机车悬浮在适当的高度上。

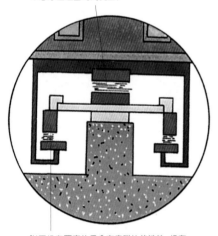

附于机车两旁的是含有电磁体的铁轨，机车的电磁体同它们互相吸引。

磁悬浮列车工作原理图

擦，运行速度可大大提高。有一种磁悬浮列车叫超导磁悬浮列车。它的车厢下装有小型超导磁铁，在轨道两旁设有一系列闭合金属环。列车运动时，超导磁铁向轨道面产生强大磁场并和金属环作相对运动，在金属环中产生强大的感生电流，产生向上的巨大排斥力，使列车悬浮起来。列车静止时，金属环没有感生电流，所以列车不能悬浮。因此，在开车和停车时需要短时间利用车轮。磁悬浮列车除了运行速度快以外，还有动力消耗小、无噪音、震动小和污染小等优点，因而受到各国的重视。

为什么帆船能逆风行驶？

帆船是靠风的力量行驶的。

顺风的时候，帆船张开帆，顺着风吹来的方向，顺利地一直向前行驶。航行的速度很快。

逆风的时候，帆船就不可能一帆风顺地直线航行了。这时船夫便把船头斜对着风吹来的方向，然后调整帆的角度，船就斜着向前行驶。过一会儿，再把船头调转，使船的另一侧斜对着风向，帆船就会朝着另一个方向斜着向前行驶。在逆风的时候，船就是一会儿向左，一会儿向右，逆风向前行驶。这种航行方法，叫做迎风折驶。航行速度比顺风行驶时慢多了。

帆船的大小不一样，帆的大小和支撑帆的桅杆多少也不一样。传统的四方形横帆适合顺风行驶，由三角形帆发展而来的纵帆，有利于逆风行驶，操作也很方便。

气垫船有哪些优点？

近年来，许多国家制造出了能贴近水面飞翔的船。这些船在航行时，船体完全离开水面，船体只受到空气的阻力，比在水中航行的阻力大大减少。这种船能载几百乘客，每小时可走100多公里。

这种船里面装有几部很大的鼓风机，产生强大的压缩空气，由船底四周的环形道喷出，以很大的压力向下冲向水面。船体得到方向向上的反作用力，把船体抬出水面。水面和船体间形成一层气垫，因此称为气垫船。气垫船利用斜插入水中的螺旋桨，或利用空气螺旋产生推力，推动船舶前进。

气垫船还有一个很大的优点，是它的两栖性，它不仅能在水上行驶，也可以在陆地行驶。气垫船在陆上行驶时，船和地面之间同样会形成气垫，把船托起来。由于这个气垫总有几米的厚度，因此它既可以行驶上崎岖泥泞的道路上，也可以在沼泽、草原、沙漠和结冰的海面上通行无阻。除了直升飞机外要数气垫船能到的地方最多。

英国人率先把气垫船作为穿越英吉利海峡的渡轮投入商业运营。目前在该航线上行使的气垫船速度约为每小时70英里，可搭载约42名乘客和60部车辆。

人造卫星的运行轨道有哪几种类型？

人造卫星的运行轨道根据其和地球等其他星体的相对位置不同，主要分为以下3种类型：

第一种是静止轨道。卫星绕地球一周的周转时间等于地球的自转周期，这样的轨道叫地球同步轨道。从地面上看过去，卫星在太空中的位置静止不动，这种轨道叫静止轨道。由于静止轨道能够长期观测特定地区，并能将大范围的区域同时收入视野，因此被广泛应用于气象卫星、通讯卫星等。

第二种是太阳同步轨道。太阳同步轨道是指卫星的轨道运行面在1恒星年中以地球的公转方向相同方向而同时旋转的轨道。在太阳同步轨道上，对同一地点，卫星总以同一方向通过。因此，太阳光的入射角度几乎是固定的。

第三种是回归轨道和准回归轨道。回归轨道是指卫星的运行轨迹每天通过同一地点的轨道，而每隔相同天数通过同一地点的情况叫准回归轨道。如果需要卫星覆盖整个地球适于采用回归轨道和准回归轨道。

自从前苏联于1957年10月4日发射了第一颗人造卫星后，至今有15个以上的国家先后发射了超过5000颗以上的人造卫星。这些卫星大小悬殊，用途也多种多样，对我们的生活影响很大。

人类为什么要在航天飞机上做实验？

自从1981年航天飞机第一次飞向太空绕地球运行以来，至今已上下来回了将近100次。每一次上天，几乎都带有科学实验的任务。科学家们为什么不在仪器设备齐全的地面实验室里做实验，偏偏要到离地几百公里的航天飞机里去做呢？那是因为太空有4项特别优良的天然条件：绝对没有空气，绝对没有污染，零下270℃的低温以及不受地球引力的干扰。尤其是第四项条件，它在地面上的任何实验室里，都是决不可能得到的。航天飞机是在太空里飞行的，把实验带到航天飞机上做，目的是让实验在与

美国"发现号"航天飞机返回地球准备降落时的情景。

地面上完全不同的环境条件下进行，这就有可能创造出全新的科学奇迹。最吸引人的太空实验，就是试验新的生产加工方法，如冶炼新的合金、各种材料的焊接、制造质地纯净的玻璃、提炼合成新的化学药物等。现在有好几十项试验已经获得了成功。所以，科学家们正在研究如何使数目不多的航天飞机尽可能多地携带实验项目，并且增加上天的次数。

航天器的研制工作一直在致力于解决空气阻力和摩擦生热这两个问题。

星际飞船为什么到最后不需要燃料？

我们知道，物体有一种"惯性"，如不受外力的影响，动者恒动，静者恒静。

但是，为什么抛出去的东西总会掉下来呢？有两个原因：一是受地球引力影响，二是受空气阻力的削弱。如子弹从枪膛里发射出去后，开始飞得很快，慢慢地就逐渐缓慢，最后终于掉落在地上一样。

在实际发射宇宙飞船或人造卫星时，也体现着上述原理。开始时卫星和飞船的速度还不是很快，一个原因是目前技术上还不能达到，另一个原因是速度太快会与空气摩擦，导致燃烧，最终甚至会被烧毁。

所以，无论是发射人造卫星还是宇宙飞船，它们是逐渐地增加速度的，开始时速度较小，以后随着空气越来越稀薄，速度越来越大，飞到没有空气和地球的引力的也不存在的空间时，速度已经飞快，也就不用再需要燃料了。

不论发射卫星还是飞船，用于克服空气阻力所需的燃料，比克服地球引力所需的燃料，要多达几十倍。

为什么会有"变翼机"?

飞机是靠机翼产生升力把飞机托上天空的。机翼越长越大,它的上升力也就越大。但是,当飞机飞到高空后,机翼在飞行中会产生阻力,机翼越长越大,产生的阻力也越大。

因此,高速和灵便飞行的飞机,如歼击机等,在设计时,人们总是力求把机翼做得越短越好。但是,随之而来也出现了新的问题:机翼减短后如何解决它的升降能力呢?当飞机在空中飞行时,速度越快,产生的升力就越大。因此,缩短机翼后,短翼产生的升力还是够用的。可是当飞机起飞和着陆时,速度比较小,短机翼产生的升力,就不够克服飞机的重量,需要在地面滑跑很长的距离,使飞机达到较快的速度以后才能离地,或者

现代跳伞作为一种娱乐,受到越来越多的人们的喜爱。

其实这是因为喷气式飞机在高空飞行时,尾巴后面要喷出大量废气,跟空气中的水汽凝结成许许多多的小水珠,看上去就像拖着一条白色的带子。这种现象,通常只在晴朗的日子里才出现。

英法联合研制的世界上惟一的投入商业运营的"协和式"超音速客机

着陆后需要使飞机滑跑很长的距离,才能将速度慢慢地减慢下来。这也是现在高速飞机,需要很长的机场跑道的主要原因。

现在,有些国家为了克服这个矛盾,已经采用了"变翼机"。这种飞机在起飞或降落时机翼可以伸长出来,在空中需要高速飞行时,可以把机翼缩回去。变翼机做到两全齐美,把问题解决了。

为什么喷气式飞机飞行时,后面会拖一条白带子?

喷气式飞机从空中飞过,尾巴后面有时会拖着一条白带子。有的人以为是飞机"中弹"了。

为什么飞机从起飞到着陆都要用雷达操纵?

雷达在航空事业中的用途十分广泛。机场上装有雷达,机场调度人员就可以从雷达显示器上,清楚地看到机场上空几百公里范围内的全部情况,而且它可以不受天气情况的限制,进行空中交通的管理工作,指挥飞机的起飞和降落。

飞机飞到机场上空后,地面雷达可以为飞机提供最理想的降落轨迹,飞机在着陆过程中,雷达连续测量飞机的位置,并通过无线电话,指挥驾驶员按照正确的下滑线飞行,直至降落在跑道上。

在黑夜、或是云雾天气、或是飞行员不熟悉航线的情况下就更需要用雷达来导航了。飞机上装一部雷达天线朝向地面,平面位置显示器上就显示出一幅"雷达地图",领航员观看雷达地图,就能知道飞机的位置,保证飞机按航线飞行。

飞机上装上"雷达测高计",在平原上空飞行,就能随时知道飞机距离地面的高度;在海洋上空飞行,就能知道飞机距离海平面的高度;在崇山峻岭上飞行,可以知道飞机距离高峰、山岭的高度。在一些需要低空突防的军用飞机上,装上"防撞雷达",就可以保证飞机在低空高速飞行时,对高空的情况有所了解。

降落伞有什么作用?

飞行员从飞机上跳下来,一定要张开降落伞,才不会跌坏。因为降落伞张开以后,伞的面积很大,下落时,空气阻力会把它托住,使跳伞的人能慢慢地安全地降落到地上。如果不用降落伞,下落太快,就会摔死或摔伤。

飞行员正在驾驶飞机降落。

你知道世界上最早的电子计算机是什么样子的吗？

世界上最早的电子计算机是于1946年在美国研制成功的，它的名称叫ENIAC，是宾夕法尼亚大学应美国军方的要求设计和制造的第一台完全由电子控制的计算机。这台计算机共用了18000多个电子管，占地170平方米，总重量30吨，有1.8万多个电子管和5万多个转换开关，耗电140千瓦。其功能为每秒钟进行300余次不同的计算或5000次加法运算。这台计算机有许多明显的不足之处，它的功能还不及现在的一台普通微型电脑，但它的诞生宣布了电子计算机时代的到来，开辟了一个计算机科学技术的新纪元。

电子信函为什么被称为最快捷的通邮方式？

现在随着社会的发展，人们对信息交流速度的要求越来越高。一封国际邮件，即使是利用特快专递邮政业务，它至少也要二三天的时间。这对于一些急需用信件方式而无法用电话

电子信函是邮政业服务内容的一次变革。

传递的信息来说，譬如合同、各种公证文书等等，常常因太慢而误事。

在20世纪80年代初，国际上出现了一种电子信函业务。简单地说，这是一种邮政与电信相结合的业务。其原理也很容易理解，需要使用者可去开办了这项业务的邮局，把需要邮递传送的文件或信件交给他们，由邮局用传真机发往中继局，再由中继局通过国际电话电路传往目的地邮局，交给收受邮件者，收件人就可以在一二小时内看到同交件人交出的文件或信件一模一样的真迹。因此，电子信函是目前最迅速的通邮方式。

在国际电脑网络正在形成的20世纪90年代，这种电子信函有了更进一步的飞跃。分布在世界各地的入网电脑的使用者，只要在家里就可以及时地把信函内容直接发给收件人，不必再有劳邮政部门了。

为什么有时收到的电子邮件是一堆乱码？

接收电子邮件，有时会收到"一堆乱码"。这是发送方与接收方所使用的操作环境不一致造成的。

中文电子邮件在发送前要经过编码，即将汉字编成ASCⅡ码方式进行发送，接收时又要经过解码，即由本地的汉字操作环境自动地将ASCⅡ码还原成汉字。所以发送方与接收方所用的汉字操作环境要一致，编码和解码的方法要相对应，否则就会出现乱码现象。

那么在操作环境不一致的情况下，有没有办法接收到正确的中文呢？有。这就是运用汉字操作环境所提供的工具 —— 文本转换器进行换，这样得到的中文就和原文一致了。当然，也可直接将发送文件扫描成图像文件格式，或用传真软件将它转换为图像文件，以图像格式文件放在E-mail附件中发送给对方，这样就不会因操作环境的不同而造成种种麻烦。

正在工作的ENIAC计算机

电脑是如何创作动画片的?

青少年都非常喜欢看动画片。但是,动画片的制作周期比较长,大型动画片从创作到完成,一般要花费几年时间。为了丰富大家的课余生活,科学家们决定请电脑来帮忙。

那么,电脑为什么能创作动画片呢?

20多年的实践证明,电脑之所以能担当起这一"角色",是因为在制作动画片的过程中,颜色的涂抹和画片的连续变化,几乎全部可以利用电脑的自动配色组合功能来加以完成。由于电脑具有自动绘图的功能,因此,只要将形式、画面和特征确定下来,并存入电脑中,就随时能把所需要的

现在电脑越来越多地被应用在了图形处理方面,我们看到的大多动画片都是由电脑制作的。

图形和画像重现出来。由于电脑能瞬间完成运算,所以它能很快改变画面的尺寸和色彩,并自动画出所需要的各种动态图形。

由于电脑有如此大的本领,因此大大节约了动画片绘制人员的时间和精力,加快了动画片的制作过程。所以,今天我们能看到更多的精美动画片。

人工智能计算机是怎么回事?

电子计算机从1946年诞生到现在,已经是第五代了。第五代电子计算机,又称为"人工智能计算机"。智能型计算机有人的某些智能,如视觉、听觉、触觉以及记忆、思考等人脑的功能。

下棋是一种高级的智力活动。如果把各位棋艺高手的下棋技巧和经验输入计算机,那么计算机就可以与人对垒,并能战胜各路棋手。计算机能指挥机器人"看图"并装配机器,能避开障碍物"看"路行走,能"听"会"说",可担任各种外文翻译。计算机还能充任警卫,服务员、医生、护士、教师甚至科学家。计算机的人工智能的发展将成为人类智能的一部分,并为人类服务。

前国际象棋世界冠军卡斯帕罗夫与美国IBM公司研制的智能计算机"深蓝"比赛国际象棋。

为什么制造电子计算机要采用集成电路?

现代使用的袖珍电子计算器,只有香烟盒大小,而且很薄,只需一个钮扣电池供电,就能进行加、减、乘、除、开方等多种运算。一架中型或大型的多功能电子计算机,也只有几个大衣橱那样大,用上几十瓦或几百瓦电就能运算。为什么现代计算机这么小巧、省电、可靠,这是因为科学家们经过多年的不懈努力,发展了微电子学,制造出集成电路的结果。

集成电路可以将计算机所需的"单元电路",集成在一块硅片上,一般只有200~300个元器件。而如果用晶体管、电阻等单个元器件装成的电子计算机,最简单的也要上万个元器件。如用集成电路,只需几个到几十个就行了。采用超大规模集成电路制造的电子计算机,它的元器件都可以做在一片片分币那么大小的硅片上,整架机器只不过自来水笔大小。集成电路可以使电子计算器或电子计算机的体积和重量缩小几十倍、几百倍甚至几千倍。

随着集成电路加工工艺的逐渐成熟,产品的合格率提高,成本也一再降低。

现在不仅各种类型的电子计算器或计算机采用集成电路,在工业自动化控制仪表上也大量使用集成电路。特别是运载火箭和人造卫星的电气仪表上,更普遍采用集成电路,因为它可减轻火箭和人造卫星的重量,从而可大大节约火箭珍贵燃料。

这台机器是人类的第一台机械计算器 — 巴贝奇计算器。它有约2000多个活动的零件。

你知道个人电脑的结构吗？

个人电脑又称PC机，是一种供个人使用的通用微型计算机。随着微电子技术的发展，个人电脑大量进入家庭，成为人们日常工作、生活不可或缺的帮手。个人电脑不仅可以进行日常信息处理，也可与绘图仪、打印机等多种外围设备连接，还可以与计算机网络相连，作为它的一个工作终端。个人电脑由中央处理器（CPU）、内存、主板、显卡、硬盘、显示器、键盘、鼠标等构成，是个人信息处理的得力工具。随着电脑科技的发展，个人电脑的性能也得到了突飞猛进的发展，现在某些先进型号的个人电脑已经可以承担起过去小型工作站的工作任务。

什么是主板？

如果把CPU比作电脑的心脏，那么主板就是电脑的神经中枢。有了主板，CPU才可以控制硬盘、软驱、键盘、内存、鼠标等周边设备。主板是电脑系统中最大的一块矩形电路板，它的英文名字叫"MAINBOARD"或"MOTHERBOARD"。主板连接着中央处理器、存储器、输入输出设备等元件，并为这些元件提供插槽、接口和控制功能。主板的性能对整个微机系

主机
显示器
光驱
机箱面板
电源指示灯
硬盘指示灯
复位键
软驱
电源键

屏幕

个人电脑

主板

组具备数据输入输出和数据存储功能的集成电路，内存只用于暂时存放程序和数据，一旦关闭电源或发生断电，其中的程序和数据就会丢失。从

什么是硬盘？

硬盘是电脑的主要外存，硬盘采取磁记录原理，在涂有磁性材料的塑料盘上存取信息。硬盘的盘片和驱动器是安装在一起的，不能更换盘片。硬盘用于存储绝大部分的程序和软件。它在使用前需通过专门的程序建立一定的格式才能存取数据。

鼠标
键盘

统有着直接和重要的影响。现在有很多主板上都集成了声卡、显卡、SCSI卡等，为用户提供了更多选择。

什么是内存？

在计算机的组成结构中，有一个很重要的部分，就是内存。内存指的是主板上的存储部件，CPU直接与之沟通，并用其存储数据的部件，存放当前正在使用的（即执行中）的数据和程序，它的物理实质就是一组或多

硬盘

一有计算机开始，就有内存。内存发展到今天也经历了很多次的技术改进，从最早的DRAM一直到FPMDRAM、EDODRAM、SDRAM、DDR、RAMBUS等，内存的速度一直在提高，而且容量也在不断地增加。

软驱

电脑是怎样指挥交通的？

说起交通，就会使人们想起大城市"车水马龙"的繁忙景象。

为了使车辆能够有条不紊地通过各个路口，于是人们发明了交通信号灯。自1868年由英国伦敦首先采用信号灯来，它一直沿用至今。但是，近二三十年来，世界上许多大城市中汽车数量骤增，致使交通拥挤不堪，道路经常堵塞，面对这种情况，通常的交通信号灯已"力不从心"。从20世纪60年代起，世界上不少国家开始研究利用电脑来指挥交通的问题。

那么，电脑是如何指挥交通呢？电脑交通指挥系统由5大部分组成：交通信号控制系统、交通信号收集系统、交通诱导系统、交通监视系统、交通通信及广播系统。依靠这5大部分的相互配合，就能有条不紊地指挥所控制区域的交通。交通信息收集系统依靠设置在主要路口或路段上的车辆检测器，把交通流量自动检测出来并输入计算机。司机通过设置在车辆上的终端机，把行车速度、车辆阻塞的程度随时输入计算机。电脑交通指挥系统通过对交通量、行车速度和车辆阻塞程度的分析，向交通信号控制系统发出命令，从

在电脑的帮助下，大城市的交通系统得以保持畅通。

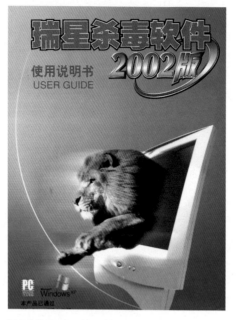

杀毒软件是防治计算机病毒的重要工具。

而控制红绿灯开、关的时间。这就是电脑指挥交通的全过程。

电脑会"生病"吗？

人感染了病毒要生病，电脑感染了病毒也会"生病"。

电脑是按照人编制的程序来工作的。但是，有一些精通电脑的人出于某种目的，故意编制一些让电脑犯错误的程序，这种程序就被称作"电脑病毒"，电脑"病毒"实质上是人为的恶意设计的破坏性程序，它可以自动复制，会像病毒那样潜入计算机网络并扩散开来，破坏计算机的正常工作程序。

电脑"病毒"破坏正常程序的花样很多，有的把计算机应该执行的程序弄得无法进行；有的不断产生一些莫明其妙的数据，弄得使用者无法工作；有的把原来排列有序的磁盘文件弄得杂乱无章，让使用者找不到要用的东西。

那么，为什么有人会去设计这些捣蛋的"病毒"程序呢？有的是为了防止他人窃取自己的劳动果实，有意在自己编制的应用程序中，暗藏一个"病毒"程序。有的只是恶作剧，或者开玩笑。此外，有些电脑游戏程序，弄得不好也会成为"病毒"程序。

目前电脑专家正在研究对付"病毒"的方法，增强电脑抵抗"病毒"的能力。有的国家还成立了专门机构，研制对付"病毒"的"解毒"程序。当然，制造电脑"病毒"和消除电脑"病毒"的斗争，才刚刚开始。

什么是"电子书刊"？

"电子书刊"是将转换成光电信号的文字、图像、声音输入作为记忆装置的小型光盘，阅读时使用电脑读出内容。人类有史以来所有的图书报刊、档案文献都录制成光盘，也只要一辆面包车就可以塞满拉走。

要看光盘里面录制的内容，只要把光盘塞进驱动器，再在旁边连结的微机键盘按下相应的键，微机的屏幕上就会显现出你要看的内容。

光盘以容量大的优点成为现代信息的主要储存方式。

光盘不但信息容量大，而且检索提取里面的信息也极其快速简便。你可以任意查看里面的一篇文章、一句话甚至一个字，只要用手指按几下键盘，一二秒钟就能找到。如果你要统计中国历史上一共打过大小多少次拓边战争，一套二十四史你翻上一个多月，也不能保证没有疏漏。但是二十四史如果被录制成光盘，那么键盘按下去后，只要1秒钟，出处和统计数字就出来了。

什么是国际互联网？

国际互联网也叫因特网，是世界上最大的电脑网络。因特网联遍了世界上一百多个国家的各种电脑，世界上任何一个地方只要将电脑联入国际互联网络，就可获取网上信息和资源。国际互联网前身是美国出于国防需要建立的一个研究和实验性的网络，后来逐步发展成为民用通信网络并与世界上其它国家网络实现了互联。

链接获取。信息的内容从天文到哲学，从艺术到军事，形形色色，包罗万象。凡是人们能想得到的信息，都可以找到。

www 的诞生使因特网从少数人掌握的科学工具转变为人们生活密不可分的一部分。

国际互联网作为一种信息工具，正在改变着我们的生活。

什么是下载与上传？

下载是指用户从网站的服务器上将信息复制存储到自己的电脑上，可通过信号电缆或网络进行传输。与下载相对应的是上传，它指用户向服务器传送信息。下载与上传都是上网时信息传递的术语。

什么是WWW？

WWW 是 World Wide Web 的缩写，又叫"万维网"。WWW是因特网上最主要的信息服务方式。每个网站通过网页的形式将信息组织起来，用户浏览网站时只要用鼠标器点击相关内容，便能选择需要的信息。所有这些站点的总和就组成了所谓的"万维网"。由于采用了超媒体技术，WWW能提供文字、图像、声音和动画等多媒体信息，用户还可以通过网页上的链接轻松地在站点上漫游。WWW是因特网上的信息宝库，网上几乎所有的信息和资源都可以从站点的主页中

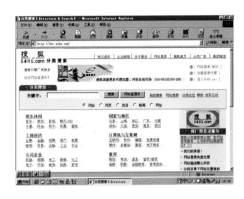

网页是因特网上最基本的信息单元。

什么是网页？

网页又称主页，是因特网的WWW服务系统所使用的一种图文多媒体用户界面，通过一种被称为超文本标识语言的方式将文字、图像、动画、声音等组织在一起。用户可使用各种浏览器观看网页上的内容，网页上设有许多链接点，用户上网就是在网页间浏览切换。

国际互联网工作原理示意图

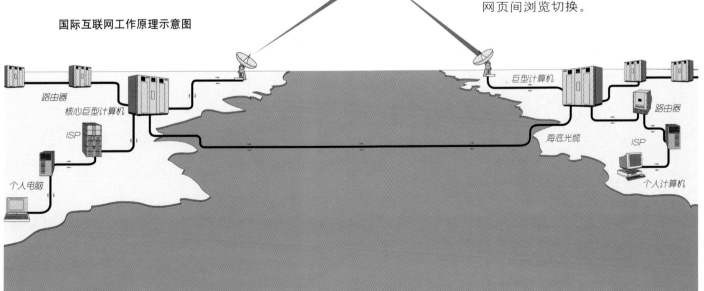

为什么说计算机一定要有软件才能工作？

大家知道，计算机是具有各种功能的高级工具，能解决许多复杂的问题。当你遇到难题，想找计算机帮忙时，首先得把难题转换成能在计算机上运行的计算机指令序列，要完成这项工作，就得依靠软件了，这类软件通常叫做应用软件。计算机本身各部件之间要高效、协调地进行工作，还需要有一种管理自身的软件，这类软件通常叫做系统软件。

计算机是由中央处理器（CPU）、存储器（包括内、外存储器）和输入输出设备等基本部件组成的。管理这些设备的软件叫做操作系统，它属于系

通过软件的帮助，计算机能够处理各种各样的问题。

统软件，是系统软件中最主要的部分。人们在将难题转化成电脑指令的过程中，往往先由编程人员用编程语言编写程序。这种CPU程序很难直接运行，还需要有另一种编译（或解释）程序，才能将它们转化成机器指令程序。所以，系统软件除了含操作系统外，还包括编程语言及其编译（或解释）系统和其他服务性程序。只有这样，计算机才能真正开始运行程序，解决难题。所以，没有软件，计算机就没有服务对象，也不能有条不紊地进行工作。

随着计算机应用技术的发展，要求用它来解决的问题越来越多，越来

越复杂，因此，在电脑上运行的软件也越来越庞大，功能越来越强，大大地超越了传统的"计算"概念。由此，软件产业成了信息时代最有发展前途的产业之一。

因特网上的计算机是如何起名的？

在我们的城市里，每个单位、每个家都有一个地址，如某某路几号几号。这种地址是惟一的，不会从一个地址找到两个单位或两个住家。同样，连到因特网上的每台计算机也有一个惟一确定的地址：IP地址。

显然，这种IP地址是很难记忆的。人们就想，能不能取一种既便于记忆，又不容易重复的名字呢？

现在，因特网上的计算机可以有这样的名字，这就是域名。每个域名由若干个子域名组成，子域名之间用圆点分开，每个子域名由若干个字母和数字组成。域名中最后一个域名的使用有约定，但对于其他国家和地区，最后一个子域名常常是两个字母的国家和地区代码，那么，如何从域名找到相应的IP地址呢？这是由域名服务器来完成的，它有一个存放了域名与IP地址的对照表的数据库。当然，一个域名服务器的数据库不可能包括所有域名的对照表。事实上，因特网上有许多域名服务器，它们协同完成域名的转换工作。

为了保证地址和名字的惟

因特网使地球变成了一个小村落。

一性，因特网有一个网络信息中心，负责IP地址的分配和域名的登记。我国的互联网络信息中心负责最高子域名为"cn"的域名登记。

什么是计算机"千年虫"问题？

计算机系统的2000年问题，简称Y2K或千年危机、千年虫问题，是指在计算机软、硬件系统以及使用数字化程序控制芯片的各种应用系统中，由于只采用两位十进制数字来表示年份，当日期从1999年12月31日转入2000年1月1日时，用来表示年份的后两位十进制数字"00"，与1900年的"00"一致，因而计算机操作系统误认为是1900年1月1日，给以年份日期进行计算的系统带来破坏，造成技术、政治、经济、法律上的问题。它对金融、军事系统造成的危害最大。这个问题已经在21世纪到来之前完全予以解决。

"千年虫"问题是由于人们在设计软件时忽略了世纪的更换而引起的。

家用计算机怎样上网？

如果你想上网，首先得选择上网的方式。

如果你家已经安装了电话，那你可以选择利用电话线拨号上网，这是家庭上网最常用的方式。如果那样的话，需要选购一台调制解调器，内置式和外置式都可以。调制解调器的传输速率通常有每秒33.6K和56K两种，后一种调制解调器的速率是不对称的。因特网向你的电脑传送信息时的速度是每秒56K，而你向它传送时只有每秒33.6K。第二种选择是综合业务数字网（ISDN）。一条ISDN线路提供

上网现已成为人们学习和交流娱乐的主要手段。

2B+D三条信道，可以接电话机、传真机、计算机等七个设备。一条B信道的速率是每秒64K，一条D信道的速率是每秒16K。上网时，可以使用一条或两条B信道，所以速率可达每秒64K或128K。当你只用一个B信道上网时，还能同时打电话。目前我国大部分地方都已开通ISDN业务，除了以上两种方式外，正在发展的还有另外几种方式。宽带网也逐渐走进了我们的生活。

选择好了上网的方式，接下来就是选择因特网服务提供商（ISP）了，他们是专门提供这种服务的。你得找一家信誉好、速度快、收费低的ISP。选好后，办理入网手续。办理完了，他们会给你一个上网用的电话号码、一个密码（又称口令）和一个你自己选定

搜索引擎使我们在因特网这个信息的海洋里能够快速查到自己想要的东西。

的用户名。此外，一般还会给你一个电子函件地址。

假如你选择了电话上网方式，接下来要安装调制解调器，并在操作系统上安装网络软件和浏览器软件，然后再设置一些参数。关于这些，一般只要对照调制解调器和ISP提供的说明书，一步一步照着做就可以了。做完这些，你就可以上网了。

在因特网上如何查到所需要的信息？

因特网的一个重要用途是可以方便地查找所需的信息，那么，如何使用因特网查找所需的信息呢？一种办法是靠自己平时随时记录和整理有用的万维网站点，另一种办法就是依靠搜索引擎。

搜索引擎是一种万维网站点，他们除了提供信息内容服务外，还提供信息检查服务。他们提供的信息检索服务主要有两种方式：

一种是索引方式。这种索引将万维网上的信息按照一种分类方法组织成树状结构，你可以一级一级地查下去，直至找到你想浏览的网页。实际

上每选一次，浏览器都把你的选择传送给搜索引擎站点，然后搜索引擎站点再将结果传送给你。如果搜索引擎站点很远（如在美国），那可能得稍为费点时间。

另一种方式是查找方式。提供这种服务的万维网站点的第一个网页上有一个空的栏目，供你填写查找要求。在那儿，你可以填入要查找内容的主题词和关键词，使用这种方式时，要求所使用的关键词要恰当，如果要求太一般，搜索引擎站点可以给你找出成千上万篇文章；如果要求太严，可能查了很长时间后一篇也找不到。

为什么电子邮件不需要"挂号"？

你如果想向朋友发送电子邮件，你得首先向因特网服务提供商（ISP）申请电子信箱，大多的门户网站都提供这类免费服务，这些ISP的服务器就是你的电子邮局。对于电子邮件，因特网有一系列的协议，使信息在计算机网络中严格按照协议的规定进行传输。依照这些协议，你发的电子函件一定会传送到你朋友的电子信箱中。如果对方的电子邮局正常工作，而且传输顺利，那么函件在几秒到几分钟内就能送达。如果地址写错了，那么电子函件很快会退回给你。电子函件不像普通信件那样可能会在途中丢失。从这一点上讲，它是不需要"挂号"的。

电子邮件目前已经成为人们日常信息交流的得力工具。

怎样才能保证计算机网络的安全？

针对计算机网络的违法犯罪行为从计算机网络的诞生之日就一直存在。三种最常见的计算机网络犯罪形式是黑客攻击、制造病毒和拦截私人电子邮件。

有很多种办法可以使网络保证自己的安全。第一道防线是防火墙，这是一种在互联网和用户的内部网络之间起着看门人作用的软件或硬件设

黑客事件

曾有黑客在日本政府一互联网站用英文书写留言: 日本人？众所周知，是一个没有勇气面对历史事实的民族。

备。防火墙通常与代理服务器协同工作。代理服务器是一个程序，可以根据使用者对网络的要求检查从网络里进入计算机的数据包。在防火墙保护的区间里，可以绕开那些敏感的数据，工作者可以相应地感到解除了黑客的攻击。但是防火墙并不能防止病毒，对于病毒，必须通过在个人计算机上运行反病毒软件进行防卫。另外，对于拦截电子邮件和其他互联网信息的行为，我们可以在上网传输邮件或信息之前使用加密软件对数据进行加密。

黑客是怎样入侵网络的？

黑客可以利用多种方法来得到使他们进入侵犯目标的秘密路径。他们常常通过多重电话网络和互联网服务供应商进行活动，减少自己被人发现的可能。对于装有防火墙的网络，黑客会使用一种扫描程序，这种程序可以轮流拨打目标单位的每一个与因特网相连的设备。如果他幸运的话，他会从"后门"进入网络，出于疏忽，这个单位的一个网络使用者把计算机连在了电话网络上了。然而这种方法成功率很低。为了进入个人电脑和网络，黑客还会使用一种口令猜测软件，这是一种可以在查错方式下经常使用的口令清单，它可以反复挑战保护网络的口令。有时，黑客会在受害者的硬盘上安装一个"记录"程序，这个程序可以记录下受害者所有的键盘与网络操作，从而帮助黑客获得更多的口令与信息。

计算机网络安全示意图

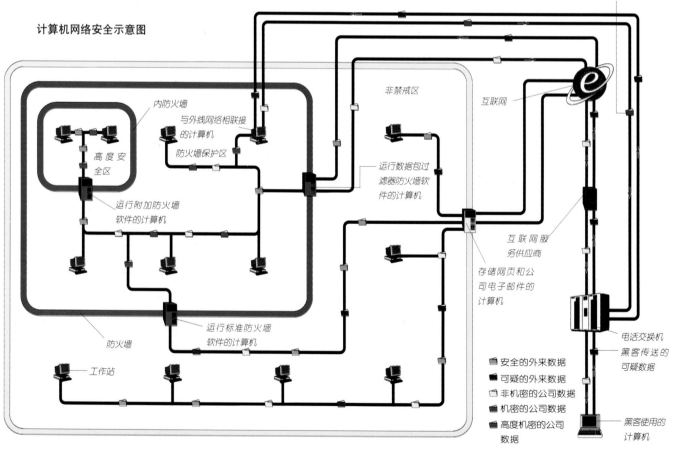

玩电脑游戏会提高注意力吗？

电脑游戏现在成为青少年一种主要的娱乐方式，有许多人痴迷于它而不能自拔，由此带来了种种心理和社会问题。于是，处处可见人们对于电脑游戏的口诛笔伐，一些父母更是时时戒备，不许自己的孩子玩电脑游戏。

这样的担心当然是有道理的，不过，适度原则似乎也总是对的。最新的科学研究表明，适度玩玩电脑游戏，会获得意想不到的好处。

2002年4月15日，美国罗切斯特大学认知神经学家达夫妮·巴维利厄在一次学术会议上报告了一个很有意

电脑游戏包罗万象，是现在的一种主流娱乐方式，但其带来的负面影响也不容忽视。

思的研究结果：玩电脑游戏可以提高注意力。

巴维利厄的研究工作首先应该归功于一位电脑游戏玩家 — 当时还是本科生的肖恩·格林。巴维利厄惊讶地发现，格林和他身边的一些玩家朋友在注意力测试中表现一流。于是师生俩对此进行了深入研究。结果表明，当一堆亮点在电脑屏幕上闪烁50毫秒后，不玩电脑游戏的人看到的亮点不超过3个，而每周至少玩4次、每天至少玩1小时的玩家则看到了至少5个点；在其他一些注意力测试项目中，玩家们同样表现优异。

为了验证玩电脑游戏是否确实有助于注意力的提高，两位研究人员让以前不玩电脑游戏的人玩了一个星期的名为《德军总部》的电脑游戏。结果呢，电脑游戏新手的注意力测试成绩明显提高，尽管他们的表现仍然赶不上那些老玩家。

美国一家公司已经先行一步，将观念转变成了产品。2001年，这家公司与美国宇航局合作，推出了一种有助于提高注意力的电脑游戏系统 — "注意力训练员"。该系统包括一个头盔，内置检测脑电波的感应器。儿童或成人玩游戏时戴上头盔，脑电波显示就会提醒玩家，注意力集中更容易获胜，从而帮助玩家提高注意力。这一极富创意的产品，荣获了由美国工业设计协会评选的2001年度医疗和科学仪器类最佳设计金奖。

你知道什么是"闪客"吗？

"闪客"是对Flash动画高手的一种称呼，就像精通网络攻击的人被称为黑客一样，制作Flash的高手，同样拥有一个炫目的名字 — "闪客"。他们不仅是电脑技术的弄潮儿，也是下笔如神的丹青妙手。

一项网上调查表明，Flash动画已成为越来越多上网族的最爱。

Flash是一种动画（电影）编辑软件。它交互性强，可以插入英特网网页里，也可以单独成页。它可以让没有多少动画专业知识的人简单方便地制作出动画和互动的网页来。为适应目前网络传输速度慢的特点，Flash制

Flash使以前需要专业美术人员花很长时间才能完成的动画制作变成了人人都可以动手参与的大众娱乐。

作的动画和网页档案特别小，可以让网络用户轻松地下载、打开和浏览。Flash还可以制作出生动的聊天、精彩的小游戏，有影像和声音，可以产生互动的效果。微软的MSN网站就采用了大量的Flash动画。

一件Flash作品，只有几K到几十K大小，却可以包含几十秒钟的动画和声音，整个页面像一部电影在变幻，每个文字，每张图片都会跟随你的鼠标而变化，更令人兴奋的是，你不需要考虑网络的拥挤，每秒几十字节的网络速度，也可以保证你流畅的观看。

学做Flash的门槛是如此的低，低到只要有心学，就可以做出动画的程度。自从有了Flash，动画制作就像古诗里写的那样："旧时王谢堂前燕，飞入平常百姓家。"

对于我们每个人来说，都可以尝试一下Flash动画创作的乐趣。自娱自乐蛮不错，画得好的话，还可以放到网络上让更多的朋友看到，这是多么有乐趣的事情！

Flash正在影响着我们的生活。2001年歌手雪村的《东北人都是活雷锋》的流行主要归功于Flash的功劳。

网上购物有什么优点?

以往,买东西总要上街去买,现在,呆在家里也能买到东西。"网上购物"已经成为一种新时尚。据统计:1998年全世界实际的网上交易额达到430亿美元,预计2002年可以达到13万亿美元。这一切得归功于因特网。

网上购物就是通过因特网来购物。网上商店以万维网的主页形式开设在因特网上,它通过一层层的超链接链接着许许多多的主页。

在这个主页上,有整体、便携机、手持机、CPU内存、硬盘等。如果你

网上购物的出现大大方便了我们的生活,使我们日常生活用品的采购变得异常简单。

用鼠标点了一下整机,它就会展示关于整机的网页……当你找到所需的某个型号的计算机,再点一下,又会出现一个网页,它详细地列出了该机的技术指标、售后服务项目和价格等,同时,网页上会有一个表格,列有姓名、地址、购买数量、折扣、总金额、支付方式等,供你决定选购时填写,填了这个表格就完成购物了,商店会把货物送到你的家中。

网上购物有很多特点:一是可以对感兴趣的商品可以作详细了解。如果商店与厂家一起精心制作,那么一个产品的主页可以非常丰富多彩,有商品的功能、性能和使用方法的精彩

演示。通常上街购物是很难了解这么多情况的,因为一般的售货员不可能对每一件商品都了如指掌。二是可以真正做到货比三家,到各个网上商店了解各个品牌的情况十分方便。三是省去了上街的劳累。四是价格较便宜。

微波炉为什么没有火也能烧煮食物?

烧煮食物是不是一定要用火呢?不是的。微波炉烧煮食物时,就看不到炉子里有火,而是一种叫微波的高频电磁波取代了火的作用。

微波炉实际上是一台产生微波的振荡器。微波有一个非常奇特的习性,它遇到绝缘物体能够使分子和分子互相摩擦,摩擦能产生热。食物分子在微波中每秒钟振荡245亿次。这种振荡是在食物里外各个部分同时发生的,所以被加热的食物能够在几分钟内,里外各部分统统热起来,温度上升到足够把食物从生变熟的程度。

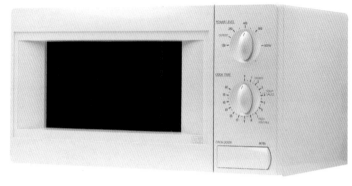
方便快捷的微波炉对我们日常生活帮助很大。

为什么防弹纤维能防弹?

警察在追捕持枪逃犯时,往往要冒着极大的生命危险。如果有防弹背心和防弹头盔就好了。

在炮火连天的战场上,防弹背心和防弹头盔更是具有举足轻重的作用。为此,就需要有一种防弹纤维。现在,人们的这一愿望终于实现了。

防弹纤维是由多种化学物质溶合而成的。它的特点是密度低、重量轻、强度高、韧性好、耐高温、耐化学腐蚀、绝缘性好、易于机械加工和成型。它的强度比钢高6倍,重量却只有钢的1/6。用10层防弹纤维织成的织物缝制背心,重量仅750克,穿在身上可以抵御轻机枪子弹的射击。现在,还有用防弹纤维做成的头盔。这种头盔重仅1.45千克,而防弹性能却大大优于标准钢盔。警察在执行任务时用上它们,真可以说是"如虎添翼"了。

这种背心包含着一个由防弹纤维制成的防护板

在子弹减慢并停下来以后,可以看到子弹对背心里的防护板所造成的破坏。

防弹纤维织物可以在刀和子弹及皮肤之间吸收和散去它们的能量,也能抵御化学武器和火焰。

为什么说爱因斯坦是科学史上的"巨人"？

爱因斯坦是当代最伟大的物理学家。他把毕生献给了物理学的理论研究。通过以他为代表的一代物理学家的努力，物理学的发展进入了一个新的历史时期。

20世纪初，随着科学技术的发展，出现了一系列古典物理学无法解释的新现象：元素的放射性、电子运动、黑体辐射、光电效应等等。在这个新形势面前，物理学家一般企图以在旧理论框架内部进行修补的办法来解决矛盾，但是，年轻的爱因斯坦则不为旧传统所束缚，对空间和时间这样一些基本概念作了本质上的变革。这一理论上的根本性突破，开辟了物理学的新纪元。

爱因斯坦一生中最重要的贡献是相对论。1905年他发表了题为《论动体的电动力学》的论文，提出了狭义相对性原理和光速不变原理，建立了狭义相对论。这一理论为原子能的利用奠定了理论基础。随后，经过多年的艰苦努力，1915年他又建立了广义相对论。根据广义相对论，他推断光在引力场中不沿着直线而会沿着曲线

爱因斯坦像

传播。这一理论预见，在1919年由英国天文学家在日蚀观察中得到证实，当时全世界都为之轰动。

爱因斯坦不仅是一个伟大的科学家，一个富有哲学探索精神的杰出思想家，同时又是一个具有高度社会责任感的正直的人。他先后生活在西方政治漩涡中心的德国和美国，经历过两次世界大战，深刻体会到一个科学工作者的劳动成果对社会会产生怎样的影响，一个知识分子要对社会负怎样的责任。

掌握宇宙的秘密，需要人类不断的努力。

你知道伪科学有哪些表现？

伪科学是把没有科学根据的非科学理论或方法宣称为科学的主张。伪科学常常是有意的造假活动，受到科学界的一致谴责。伪科学五花八门，主要有以下类型：

星占学。星占用想像的、简化的天体运行与人世变化之间的所谓因果联系和某种神秘主义，代替严格的理论和经验考察，声称能够惊人准确地预测未来。在天文学高度发达的今日，这种神秘理论和活动被斥为伪科学。

由少数科学家和民间科学爱好者及江湖人士构造的"人体科学理论"。从1979年到1999年，中国社会上出现一大批具有所谓的特异功能的"大师"。部分科学家未经过严格的科学检测，便轻易相信那些声称的特异现象的存在性，运用"场"、"共振"、"气功功能态"等概念，构造了荒谬的人体科学理论。

水变油事件。中国黑龙江人王洪成声称做了大量实验，发明了水变油技术。水变油一度被宣传成中国继古代的"四大发明"之后的第五大发明。据《科技日报》报道，这项由科学界、企业界合作演出的闹剧已经使国家损失4亿元。水在许多反应中是最终产物，将水变成燃料获得能量是得不偿失的。

与许多所谓的世界之谜相关的伪科学传说，如金字塔之谜、百慕大三角之谜、UFO现象、水晶头骨之谜、史前核大战等。这些现象在开始出现时，可能的确是有待探索的现象，但后来已经有大量确凿的证据表明，它们完全可以用普通的、自然的因果关系作出正常的解释，无需借助于神奇怪诞的理论去解释。在这种情况下，那些宣称的神秘理论就是伪科学了。如报道和研究UFO现象本身与伪科学无关，但当人们用普通因果关系已经解释清楚相关现象时，某些人仍然对此现象进行神秘解释或者将其与外星人联系起来进行误导性宣传，则这种解释与宣传就是伪科学。

为什么说电风扇本身不能降温？

炎热的夏天，人们在电风扇下面吹吹风，立刻就感到凉爽多了。是电风扇能降温吗？可以做个实验：让电风扇对着温度表吹，结果温度表显示的温度并没有下降。如果将一块湿布缠在温度表的小球上，然后再用电风扇对着吹，结果温度下降了，也就是湿布的温度降低了。以上实验表明：电风扇本身不能降温，但它在吹风的时候，可以加速人身上的汗液蒸发。汗液蒸发时带走了人身上的热量，人就感觉凉爽多了。

冬天玻璃上的冰花

玻璃窗冬天为什么会有冰花或水珠？

冬天，我们起床以后，一拉开窗帘，常看见玻璃窗上结了许多水珠，好像挂上了一层晶莹闪亮的水帘。有的人还喜欢跪在窗口的椅子上，把玻璃当画板，用手指在上面画画呢。

严寒的冬季，窗外北风"呼呼呼"地吼叫，气温比室内要冷得多。玻璃窗上的温度受到外面气温的影响，也比较低。夜间，我们虽然睡熟了，但还在呼吸，皮肤表面也不断蒸发水分，因此，房间里的空气中有不少水汽。水汽碰上了冷玻璃窗，就在玻璃上结成小水珠。如果天气特别冷，还会结成白色的冰花呢。冰花很美，有的像雪松，有的像花朵，也有的像小松鼠、小猫咪……

为什么玻璃上会刻出美丽的花纹？

我们经常看到，在一些玻璃器皿上有一些美丽的花纹，这些花纹不是用刀刻出来的，而是用一种叫氢氟酸

沙　　石灰石　　苏打粉　　回收的碎玻璃

把沙、石灰石、苏打粉和回收的碎玻璃混合在一起，放进炉子加热，变成玻璃溶液

玻璃溶液被倒进锡做的池里，在池里玻璃溶液会摊展开来，制成玻璃板

玻璃板在冷却的锡池里变硬、成形

把一团又热又软的玻璃放进玻璃瓶的模子里

把空气吹进模内的玻璃里，使它变成玻璃气泡，气泡在模里变成瓶子的形状

玻璃瓶冷却、变硬成形

玻璃的制造流程

的化学物质制成的。氢氟酸是一种无色透明的液体，它有很强的腐蚀性，

欧洲教堂的窗户玻璃上大多绘有精美的宗教画

能把又硬又滑的玻璃腐蚀成气体跑掉。在刻花纹前，先在玻璃制品上均匀地涂上一层石蜡，然后用工具在蜡上小心地刻划出图案，使花纹部分的玻璃露出来，最后涂上氢氟酸。氢氟酸对蜡不起作用，而把没蜡的部分腐蚀掉了，过一会儿，把蜡和氢氟酸去掉。美丽的花纹就留在玻璃上了。玻璃器皿上的刻度也是用这种方法刻出来的。

你知道防弹玻璃是什么吗？

在警匪片里我们经常可以看到歹徒开枪扫射而车辆或建筑物的玻璃完好无损的镜头，这里的玻璃不是我们平常见到的普通玻璃，而是一种高科技产品—防弹玻璃。

防弹玻璃是一种对枪弹具有特定阻挡能力的多层玻璃，使用不同级别的防弹玻璃能达到阻挡子弹穿透以及碎片飞溅伤人，最大限度地保护人身安全的目的。现在它们被广泛用于银行、珠宝金行柜台、运钞车以及其他有特殊安全防范要求的领域。

2002年初，传出了一则有关防弹玻璃的新闻。为免受游人意外伤害，成都动物园为一些动物的住房安装了防弹玻璃和不锈钢网。大熊猫在四周砌着防弹玻璃的"熊猫馆"内惬意地啃食竹子。玻璃墙的上方，一层密密的不锈钢网将"屋子"罩住。游人站在玻璃墙外，能近距离清楚地看到熊猫憨态可掬的神态，但无法像以往一样给它们随意投食。

克隆羊"多利"

诺贝尔像

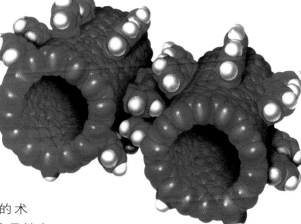
纳米齿轮是为一台计算机设计的，它的直径是百万分之几毫米，它们是由一个个的单个原子堆积起来的。

你知道什么是诺贝尔奖吗？

诺贝尔奖是世界上最著名、学术声望最高的国际大奖。它是以瑞典化学家诺贝尔遗赠的基金设立的。分为物理学奖、化学奖、生理学或医学奖、文学奖和和平奖五项，1901年首次颁奖。1968年，瑞典中央银行增加了一项经济学奖（1969年首次颁发）。六项奖都是每年颁发一次，包括一枚金质奖章、一张奖状和一笔数额巨大的奖金（900万美元基金的利息和投资收入，1997年时金额约为99万美元）。每年12月10日即诺贝尔的逝世纪念日，在瑞典首都斯德哥尔摩的音乐大厅举行庄严隆重的授奖仪式，由瑞典国王亲自授奖。诺贝尔奖已成为国际上的一种最高荣誉，激励着一代又一代的学者为之奋斗，推动了人类文明的发展。

为什么克隆羊"多利"的诞生引起了巨大的争议？

1997年2月23日，一只由英国科学家宣布用"克隆"技术培育出的叫"多利"的绵羊引起了世人关于科技与伦理的争论。克隆技术利用生物细胞基因的自我复制功能，仅用单性基因复制出下一代。这是人对大自然的一种干预，它打破了大自然的固有生育规律。克隆技术目前最大的应用领域是治疗目前尚无法对付的遗传性疾病，找出致病的机制。关于克隆技术争论的焦点是人们认为不应该用克隆技术去做复制人的工作，因为如果这样有可能复制出易患各种疾病的克隆人，甚至出现畸形或导致性别的改变，更重要的是，克隆人的出现将彻底颠覆人类社会长久以来形成的伦理血缘关系，将对人类社会的生存构成巨大的威胁。目前各个国家都制定了关于不准研究克隆人的法律文件。从克隆技术可以看出，科学的发展与道德伦理有密切关系。

你知道什么是"纳米"吗？

"纳米"是什么呢？简单地说，纳米是一种几何尺寸的度量单位。什么是度量单位？就是衡量长短的一种单位，和千米、厘米这些单位一样，只不过它是一种微观世界的量度单位罢了。

那么1纳米有多长呢？1纳米是一米的10亿分之一。这个长度，是人的眼睛看不见的。

与纳米有两个相关的术语：一个是纳米材料；一个是纳米技术。

什么是纳米材料呢？纳米材料就是符合纳米要求的可以应用的那些材料。纳米技术就是按纳米要求而制作出纳米产品的各种操作过程和方法。

有趣的是，纳米材料之王 — 纳米碳管的发现完全是偶然的。那是1991年，日本科学家饭岛澄男博士和他的同事在做"碳棒电弧合成碳60（C60）"的实验，两根石墨碳棒在几十伏电压下放电短路时，大家都注意力集中地观看碳灰，而饭岛澄男却注意到了在阴极上产生的沉积物中的纳米碳管。它就是神奇的纳米材料。

石墨具有层状结构，如同由原子组成的"纸"一层一层堆叠而成。如果将这原子"纸"（一层或几层）卷成圆管形状，这就是"纳米"碳管。纳米碳管用途非常广泛，用它当材料可以制作极微小的轴承，极微小的储存材料、医药容器和极微小的机器人等。将来的微型计算机小到可以装在上衣口袋里，小机器人可以小到跟小米粒儿一样，甚至更小。有科学家说，将来我们制作的人造卫星也会越来越小，可能只有一个馒头大，或者只有一颗灰尘大，将他们送上太空当然也就省事多了。

山上的公路为什么要螺旋形地盘上去？

在山区，从山麓到山顶的公路，都是弯弯曲曲地盘上去的。难倒不绕弯子、直来直去的公路无法修筑吗？并非如此，根本的问题是即使有这样的公路，也会由于公路的地势太陡，从而使车辆下滑的力超过轮子对公路路面的附着力，造成的结果不是车轮空转打滑、车辆无法向上爬升，就是造成严重的翻车下坠事故。让公路在山坡上像螺旋一样盘上去，就能大大降低公路的坡度，这样，轮子对公路路面的附着力，就比车辆下滑的力大，于是，在发动机推动下，车辆就能沿着公路逐渐爬上山去，又弯弯曲曲地驶下山来。这就是为什么山上的公路要螺旋形盘上去的原因。其实，

弯曲盘旋的山间公路

把高山公路筑成螺旋形的科学道理，在我们身边就有许多例子，比如多层建筑里的楼梯，都是弯弯曲曲、螺旋形转弯上楼的。建造这样的楼梯，不但节省有限的建筑面积，还使人感到上楼不太吃力。

为什么飞机表面一定要涂上涂料？

我们常常会被轰鸣声所吸引而抬头向天空望去，这时我们会看到一架银色的飞机正悠然地飞过。可是你是否知道，这时飞机正在经受着自然界

现代客机的机体都涂有耐腐蚀、耐磨、耐高温的航空涂料。

的种种苛刻的磨难，只是我们从遥远的地面上觉察不到罢了。首先是由于飞机速度很快，这种情况下在地面上微不足道的小小雨滴、朵朵雪花和尘埃在空中都变成了可怕的东西。它们变得硬如铁砂皮那样在机身上磨擦着，损伤着它，并把机身温度提高到100℃甚至300~400℃。还有，飞机一会儿被阳光照射，机身温度升高；一会儿飞机钻进云层，机身温度受水滴和冰雪的包围，又降到零度甚至零下几十度。机身时冷

时热，时干时湿，就像一个患了疟疾的病人。有些首当其冲的部位，如机首受到的磨难就更厉害了。因此，飞机必须用航空涂料来加以保护。这种航空涂料形成的涂层必须要有良好的耐腐蚀、耐磨、耐热性能，还应有良好的附着力。有些部位的涂料，如雷达天线罩上的涂层，还要有能透过雷达波和防静电等性能。此外，涂了涂层的机身由于提高了光滑度，减小了机身与大气的磨擦，还可使机速比没有涂层时提高13%左右。

混凝土中为什么要加钢筋？

混凝土说是土，其实与泥土没有什么关系。它是由水泥、黄砂和石子三种东西，按照一定的比例，加水拌和凝固以后的产物。混凝土十分坚硬，1立方厘米大小的混凝土块，可以承受59万牛顿的压力；然而，它能够承受的拉力却相当小，大约是300牛顿。为了弥补混凝土怕拉的弱点，材料科学家就把抗拉强度比混凝土大180倍的钢筋编成网架，埋在混凝土里。钢筋与混凝土有很好的粘结力，混凝土凝固后，与钢筋十分牢固地粘结在一起，这样就把混凝土和钢筋各自的特长结合起来了。这种复合物，土木工程上称为钢筋混凝土。据测算，钢筋混凝土制成的板材的综合承载能力比不加钢筋的混凝土板材，足足提高了20倍。

钢筋混凝土大坝大量使用了钢筋，以增强大坝的坚固程度。

合成材料为什么能挽救心脏病人的生命？

我们知道，心脏是人类身体中最重要的器官之一，人体内血液的流动使生命得到维持，而心脏正是使血液得以循环的动力。在心脏的心房和心室同主动脉和肺动脉之间都分别有瓣膜相连，这些瓣膜只容许血液单向流动。如果它们出了毛病，譬如开启程

合成材料被大量应用于航天飞机的制造领域。

度不够大或关闭不严，都会给人体造成严重的后果，发生心脏病。这时病人就得接受手术治疗。如果病情很严重，那么就得替他换一块人造瓣膜才行。

那么用什么材料来制造心脏瓣膜呢？心脏对这种材料的要求是十分高的。它首先应该是无毒的。其次，它不应该引起血液凝固，没有刺激性，不会被机制排斥。另外，还要求材料强度高，耐疲劳。以每年心脏跳动4 000万次计算（每分钟70～80次），瓣膜就要受到血液几亿次反复冲击。当然，这种材料更不能老化，要求瓣膜至少有10年的使用寿命。

科技人员终于制造出具有这种优异性能的材料了，即人工合成的硅橡胶，这是制造人工心脏瓣膜比较理想的材料之一。已经有许多人用上了这种材料，他们的生命得到了挽救。科技人员的下一个目标便是完全成功地制造出人工心脏，以便把完全损坏的心脏从体内更换出来。材料科学将在这里起到关键性的作用。

干粉灭火器为什么灭火效果好？

我们通常使用的灭火器有干粉和泡沫灭火器，泡沫灭火器可以扑灭木材、纸张、纺织物等引起的火灾。但是，如果遇上油类、电器或其他一些不宜接触水的物质起火，泡沫灭火器很不适用。这时，干粉灭火器就可以大显身手了。干粉灭火剂是一种固体灭火材料，主要成分是碳酸氢钠（又称小苏打）、石英粉、滑石粉等粉末。这些粉末极细，发生火灾时，只要将干粉抛撒在燃烧物的表面，它能立即将燃烧物全部覆盖住，隔断火苗与空气中氧气的接触，使火焰不能继续蔓延发展。由于干粉中含有大量的小苏打，小苏打受热分解会吸收周围的热量，这样，干粉抛散上去后，燃烧物的温度立即会降下来，火情也就得到

掌握灭火器的正确使用方法对我们来说是一件很重要的事情。

了控制。干粉灭火剂安全无毒，使用方便，能起到迅速灭火的效果，尤其适用于油类、可燃性气体等引起的火灾，所以深受消防人员的欢迎。

氢的发现者

氢的发现者是英国物理学家和化学家卡文迪什（1731～1810）。卡文迪什一生专注于科学研究，他在40岁时继承了一大笔财富，但这并没有改变他的生活方式，他一如既往地埋头于科学研究。他还用一种现在称为卡文迪什实验的方法测量了地球的密度和质量。

为什么说氢是理想的能源？

大家知道，氢是宇宙中最丰富的元素。地球表面约71％被水所覆盖，而氢除了在空气中之外，主要储存在水中。因此可以说，氢是取之不尽、用之不竭的。

燃烧1克氢，可释放16千焦热量，大约是航空汽油热值的3倍。氢是一种无污染的燃料，它燃烧后的产物是水蒸汽，不会像煤炭和石油那样，因燃烧产生大量的废气而污染自然环境。氢燃料重量轻，用作航天、航空等高速运输工具的燃料，是最适宜不过的了，可以使其载重和自重比成倍地提高。氢用途广泛，适用性强，除了用于普通飞机和地面交通工具以外，还可以利用管道输送给家庭作为做饭、取暖和空调的能源。氢便于保存和输送。根据测算，用管道保存和输送氢气的费用，还不到电力输配费用的1／2。因此，可以毫不夸张地说，氢能将是的21世纪的理想能源。

你知道古代的雕版印刷是怎么回事吗？

印刷术是中国古代四大发明之一。它的发明和推广应用，对人类文明和社会进步，产生了巨大的推动作用。

印刷术的发明是长期文化、物质和技艺等积累的结果，我国古代应用最早的印刷术是雕版印刷，其步骤是：将需印刷的文字或图像，书写（画）于薄纸上，再反贴于木板表面，由刻版工匠雕刻成反体凸字，即成印版。印刷时先在印版表面刷墨，再将纸张覆于印版，用干净刷子均匀刷过，揭起纸张后，印版上的图文就清晰地转印到纸张上，从而完成一次印刷。

雕版印刷术发明的时间大约在隋末唐初，即公元7世纪初期。有文献记载，636年，唐太宗李世民下令印刷《女则》，《女则》是目前发现最早记载使用印刷术的文献。还有文献记载，645年，玄奘从印度取经回到长安后，曾用纸大量印刷普贤像。

到目前为止，考古学者已发现多处唐代雕版印刷品。1900年，敦煌藏经洞内发现了一件卷轴装的雕版印刷品《金刚经》。卷末印有"咸通九年四月十五日王某某为二亲敬造普施"的字样，其刻印年代为868年。其刻印精美，备受世人瞩目。

这幅图片描绘了古登堡的印刷工场工作时的情景。左边的工人正在排版，右边的工人正在印刷，印好的纸张悬在空中以晾干油墨。

为什么说印刷机的发明对人类来说是一次巨大的解放？

德国人古登堡印刷机的发明对人类的进步有很大的促进作用，它使知识不再掌握在少数贵族掌握手里，大众从此摆脱了愚昧，科学思想深入人心。

活字印刷出现前，欧洲被称为"黑暗时代"。有权读书识字的人，除了贵族，就是神职人员。深居在修道院的修士得经过三四年的时间，才能将一本《圣经》抄写一遍。所以在当时，平民对《圣经》仅限于"听说"，信徒要想领承上帝的福音，只能到教堂去。教会完全控制了作为信息源，或者说是当时知识惟一来源的《圣经》。这对于大众来说，无异于一场巨大的灾难——他们的思想自由被完全剥夺了。

1450年，德国人古登堡发明了西方历史上第一台印刷机。后来，他又进一步发明了与近代印刷术相关的一系列技术，如铸字盒、铸造活字的合金、油墨等。古登堡的发明，让一位出版商在不到两星期的时间内就可以印制500本《圣经》。人们再也无须到教堂里才能领受"福音"了。教会的信息霸权于是瓦解。同时，古希腊和古罗马的文学家、思想家的作品也得以重见天日，再次被广泛阅读，文艺复兴应运而生。印刷机的发明为古登堡赢得了巨大的盛誉。有个学者曾说："印刷品在文艺复兴时期释放出巨大的心理和社会力量……它把个人从传统的群体中释放了出来。"

这本于1455年利用古登堡印刷机印刷出的《圣经》被认为是印刷史上的珍品。

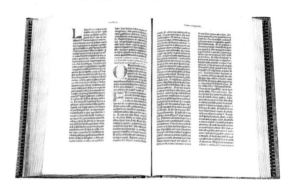

胶版印刷

胶版印刷是一种平版印刷工艺，它通过涂有橡胶表层的滚筒，将印版与印纸隔开。印纸以单张形式或以卷纸的连续的形式进入印刷机，在后一种形式中，纸卷上的纸张为保持紧绷状态，需绕过一系列的滚筒。印张经过润湿程序后，传至4个底色滚筒，由此加刷青蓝、品红、黄和黑色油墨。最后，印刷品还需经过干燥、裁切、折页等工序处理。

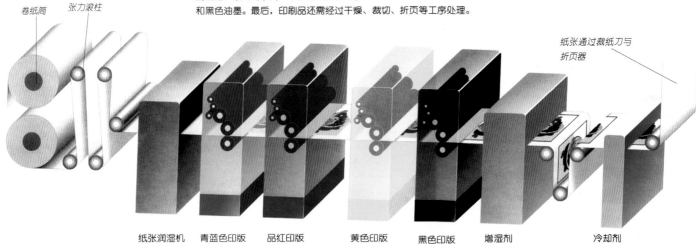

卷纸筒　张力滚柱　　　　　　　　　　　　　　　　　　　　　　　　　　　纸张通过裁纸刀与折页器

纸张润湿机　青蓝色印版　品红印版　　黄色印版　　黑色印版　　增湿剂　　　冷却剂

程控电话的工作原理是什么？

电话自问世以来，走过了漫长的道路。开始是"一对一"的对讲电话，后来发展为人工电话交换机，自动电话交换机。现在新型的电话交换机采用了数字程控技术。

数字程控电话交换机在电话转接交换过程中，不仅迅速、准确，而且在一对电话线上可同时有 32 对电话通话，互不影响。其奥妙是它能把时间分割开来，给不同的通话人使用。

人说话的声音是声波的振动，经话筒转换成低频振荡电波，其频率为每秒 100—8000 次。科学家经过反复试验，研究出了程控电话的工作原理，他们把每一秒钟的时间分成8000份，每份时间为 125 微秒（每秒等于1000000微秒），而每秒时间又是平均

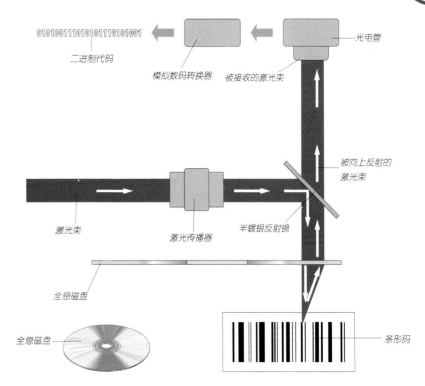

二进制代码

模拟数码转换器 被接收的激光束

光电管

被向上反射的激光束

激光束

激光传播器

半镀银反射镜

全息磁盘

全息磁盘

条形码

条形码工作原理图

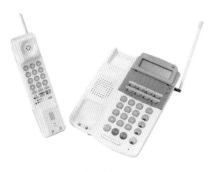

家用电话

分配给32对通话路线使用，这就是每隔125微秒，每对电话能通话一次，每次接通时间为 3—5 微秒，还有约0.4微秒的空隙。这样做就成功地把 1 份时间分隔成32份时间使用了。

条形码对商品有什么作用？

超级市场里的商品外包装上，都印有一种宽度不同、黑白相间的平行条纹，这就是商品的身份证 — 条形码。每一种商品在世界上只有惟一的一个商品条形码，一个商品代码也只可能是一个商品。识别它的身份时，要用特殊的光电扫描器对条形码从左向右进行扫描，将粗、细、疏、密各不相同的条形码中所获取的光信号转

换成电信号，再通过电子译码器，就能知道该产品的"身份"及"特长"，在机器的显示器上立刻可以知道它的名称，还可知道它的价格和质地。

在超级市场里，只要把商品条形码放在装有激光扫描器的窗孔前打个照面，或是手持光电扫描器在条形码上轻轻一划，就能马上打印出收款帐单，标清商品的品名及金额，便于顾客付款，收银员结账，并且将销售情况输入到电子计算机网络内，帮助管理人员及时掌握各种商品信息。

使用信用卡为什么能自动取款？

随着经济的发展，人们已越来越感受到信用卡的方便快捷。无论在何处，只要走到一台嵌有荧屏的电子取款器旁，就可以很方便地取出自己需要数额的钱款。

信用卡为什么能自动取款呢？原来信用卡上有肉眼看不见的磁膜编码，当电脑辨认磁膜编码和输入的密码无误时，屏幕画面上即会显示出"请选择服务项目"的字样。于是，可

按下"现金取出"功能键，输入所要取去的现金数，屏幕画面上会同时显现所要取出的现金数。当用户核对无误时，按"确认"键，稍候，自动取款器就会从机器里送出你所要提取的现金，并打印出一份取出现金的日期、金额及结存数的单据。随后，屏幕画面会显现出"服务完毕"的字样，并吐出信用卡。

信用卡给人们的生活带来了方便。

为什么光导纤维能传播图像?

1927年,科学家们成功制造了一种透明度很高,粗细像蛛丝一样的玻璃丝 — 玻璃纤维。这种玻璃纤维由内芯和包皮两层组成,人们为它起了个名字叫光导纤维,简称"光纤"。光在光纤里面可以自由地弯曲前进,能把由一端射入的光线传到另一端。

光纤为什么能传播光线?

原来,光纤有特殊的结构。它的直径比人的头发还要细,而且非常柔软,内芯是用具有高折射率的透明光学玻璃材料做成的,而包在外面的那层包皮由具有低折射率的玻璃或塑料做成。这样的结构就可以使光线在里面畅通无阻。

为了要传送图像,必须将光导纤维一根一根整齐地排列起来,这样做成的光纤束叫做"传像束"。

当某个图像入射在传像光导纤维束的端面上时,光导纤维束就按自己的排列规律,将入射图像光束分成一个个像元。每根光导纤维都独立地携带一个像元,由入射端传送到出射端由一个个像点组成图像。光导纤维传像的像点非常细密,因此,在光导纤维的收方一端,就可以得到完全不变的图像。

泡沫塑料是用途广泛的化学材料。

泡沫塑料里的气孔是怎么形成的?

泡沫塑料中有许多小的气孔,重量很轻,因而用途很广。软的泡沫塑料可以做汽车座垫、沙发;硬的泡沫塑料可以做包装材料,垫在电视机的周围,防止电视机搬运时破损。把泡沫塑料衬在房屋的墙内,就好像给建筑穿上了棉衣,使房屋内冬暖夏凉。

那么这些小气孔是怎样形成的呢?说起来与做馒头差不多,发面时在面粉中放入一些鲜酵母,蒸煮后馒头中就会形成许多小气孔,使馒头又松又软。在做泡沫塑料时,我们也要放入一些称之为发泡剂的物质,使它与塑料混合均匀,然后加热。这时塑料熔化成很粘的物料,而发泡剂则发生分解,产生氮气、二氧化碳等气体。由于熔化的塑料很粘,这些气体无法从塑料内逃逸,等塑料冷却后这些小气孔就被包在塑料内了。除了使用发泡剂外,有时也可以用一些很容易挥发的液体,例如打火机里用的丁烷,它在压力下被吸收到塑料内使塑料发泡。当塑料颗粒被加热软化时,被吸收的丁烷气化并且产生压力,小颗粒被立即胀大成有许多小气泡的泡沫。这个过程就像爆玉米花一样。此外有的泡沫塑料也可以用机械搅拌的方法,在树脂的水溶液中加入类似的肥皂粉一类物质,搅拌后变成泡沫,再加热使泡沫硬化,就变成泡沫塑料了。

彩色电视机是怎样显示彩色的?

天地万物,五彩斑斓的颜色,都是由红、绿、蓝三种颜色合成的,所以这三种颜色称为三基色。彩电电视就是利用三基色原理传送彩色图像的。彩色电视摄像机将摄入镜头的景物图像,通过棱镜等光学镜片,把它们分解成红、绿、蓝三种单色图像进入摄像管。摄像管再把这三种图像变换成相应的三种电信号,通过电视台的天线传送出去。彩色电视机显像管的荧光屏上,分布着密密麻麻的微小组合发光点,每个组合发光点含三种荧光粉。彩色电视机根据接收到的三种电信号的大小,由显像管内的电子枪,射出红、绿、蓝三束强弱不同的电子束,打到显像管荧光屏的组合发光点上。含三种荧光粉的组合发光点可分别发出红、绿、蓝三种色光,把这三种光重合起来,就得到了还原的彩色景物画面。

随着科技的发展,光导纤维将发挥更大的作用。

为什么体温计的水银柱不会自动下降?

患了病要量体温,如果用一般温度计是不行的。温度计从嘴里一拿出来,指示体温的水银柱,与外面较冷的空气接触,便立即自动下降,无法确定体温是多少。而使用体温计量体温,就没有这样的问题。

温度计和体温计外形看起来差不多,都是细长的玻璃管,其实里面的构造并不相同。温度计玻璃管的内径,从头到底一样粗细,外面的温度下降时,上升的水银柱在玻璃管内截留不住,随着温度下降而收缩下降。体温计玻璃管的内径,在水银柱和水银球相接的地方做得特别细。体温计放在口中时,水银球里的水银受热膨胀,就从这个很细的口子挤上去。可是,当体温计从嘴里拿出来以后,上升的水银柱受冷收缩,再加上它自身内聚力的收缩,结果使水银柱在内径特别细的口子处断两截,上面的一截在内聚力作用下,不会流回到水银球里去,稳稳地留在原来升高的地方,就指示了测得的体温。

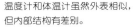
温度计和体温计虽然外表相似,但内部结构有差别。

机械手在自动化流水线上充当着重要的角色。

机械手为什么特别灵活?

在现代化工厂的流水线上,经常可以看到各种各样的机械手在灵巧地工作着。究竟是依靠什么力量使机械手能够不停地工作呢?如果我们去"解剖"机械手,就会发觉目前大多数机械手的"肌肉"和"关节"都是油缸。机械手"血管"中流动的是油液。

机械手的动作由直线运动和旋转运动组成。例如机械手的伸出和缩回,上升和下降是直线运动。机械手臂的圆周挥舞和手腕的转动是旋转运动。这两种运动都由液压传动技术来实现。

在液压传动中,直线运动是由直线油缸来完成的。直线油缸的两端各有一油口,中间有能移动的活塞。当左油口进压力油,右油口出油时,活塞即向右运动,通过活塞杆带动机械手运动。进油和出油方向变换时,活塞运动方向也随着变化。这样,就能使机械手作各种直线运动。机械手的各种旋转动作大都由摆动油缸来实现的。它的外形如圆盘,圆盘的中心有一转动轴,轴上有摆动叶片。叶片将圆盘形内部分隔成两个腔室。这两个腔室分别与两个油口相通。因而,与直线油缸一样,当一个油口进压力油,另一个油口回油时,叶片就带着转轴作旋转运动,转轴就带动机械手臂作出挥舞动作。

奥运会场面是怎样同时出现在世界各地的?

4 年一度的奥运会是举世瞩目的体育盛会,世界各国人民都渴望能及时收看到各项比赛的实况。怎样才能满足人们的这一愿望呢?

利用通信卫星可以达到这一目的。首先,有关人员把比赛现场的场景用摄像机摄录下来,变成电信号,传送给当地的卫星通信地面站;随后,地面站工作人员把电波发送给位于该地区上空的通信卫星。电视信号在卫星中得到放大,并向卫星所能覆盖的区域转播。不过,一颗通信卫星所发射的电波只能覆盖全球1/3的地区。因此,如果想要使全球居民都能同时看到奥运会的实况,必须由3颗以上的通信卫星采取"接力"的办法,才能使人们如愿以偿。由于无线电波的传播速度为每秒30万千米,所以,人们几乎能在同一时间内,通过电视观赏奥运会上的精彩场面。

利用卫星传输是现代通信的一大特色。卫星通信传输容量大,通信距离远,通信质量好。我国主要的电视台都通过卫星来传播电视节目。

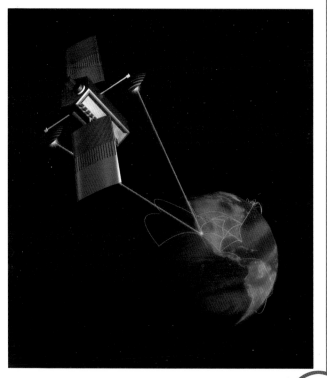

玻璃钢为什么特别结实？

你知道什么是玻璃钢吗？其实，它既不是像玻璃似的钢，也不是钢化的玻璃，而是一种复合材料，科学家称它为玻璃纤维增强塑料。那么为什么叫它玻璃钢呢？这是因为它非常结实，甚至可以与钢材媲美，但它比钢材却轻得多，堪称是材料中的佼佼者。

为什么玻璃钢又轻又结实呢？这得从玻璃钢是怎么生产的说起。玻璃钢是由玻璃纤维和一种合成树脂复合而成的。玻璃是一种很脆的材料，但在高温下把熔化的玻璃拉成很细很细的纤维后，它可以变得很柔软，有很

摩托车运动员使用的头盔由玻璃钢材料制成，有效地保护了他们的安全。

强的拉力。玻璃纤维可以像棉花线、尼龙纤维一样织成布、非常结实，与玻璃完全不同，又轻又牢，但它没有硬性。做玻璃钢的树脂常用的是不饱和聚酯，是一种很粘稠的透明液体，加入一些特殊的添加剂后，过几小时或一天后就会变成像玻璃一样硬的固体，但它比较脆，拉力弱。把这两种材料混在一起，就能得到又轻又结实的玻璃钢了。将树脂浸透玻璃布，再一层层迭起来，覆在预先做好的一个模子上，过一天后它就硬化了。再从模子上剥下来，一个又轻又结实的玻璃钢制品就做成了。用这种方法可以做许许多多的制品，像玻璃钢制成的

屋顶，玻璃钢的游船、卫生箱，甚至还可以做玻璃钢的大桥呢！

为什么用银器盛放的食品不容易腐败？

蒙古族人爱用银碗盛马奶来招待尊贵的客人。这不仅表示了他们对客人的尊重，其中还有一个原因，就是用银碗盛放的食品不容易变质腐败。

科学家发现，银的杀菌能力很强，1升水中只要含500亿分之一克的银离子，就可以消灭细菌。食物中没有细菌，自然不容易腐败变质了。

古人早就懂得了银能杀菌。2000

多年前，古埃及人已知道把银片覆盖在伤口上，能使伤口不化脓。现在，夏天人们游泳后，给眼睛滴上一滴蛋白银溶液，可以免除细菌感染引起的眼病，就是这个道理。

中医选用银针作为针灸的工具，就是因为银具有消毒的本领。

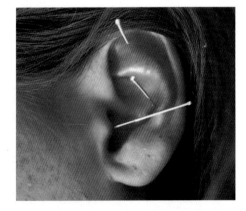

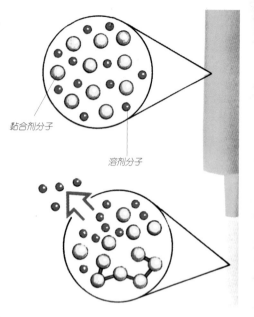

黏合剂分子

溶剂分子

胶水分子运动示意图

万能胶是由什么构成的？

胶水在日常生活和工业上是用得很多的一种材料，木器常用白胶，即聚酯酸乙烯乳液来粘结；轮胎破了，用橡胶溶液胶水修理。但是如果一个玻璃制的或是瓷器的工艺品断了一个角，一般胶水是粘不牢的，这时可以用环氧树脂来修补。环氧树脂不仅可粘玻璃、瓷器，而且还可以粘结金属、混凝土等种材料，因此有万能胶的美称。

环氧树脂之所以有很强的粘结性，是由于它的分子中含有很活泼的环氧基，它很容易与各种物质表面的活性原子反应形成很强的结合力。五氧树脂一般为浅色的很粘的流体，但它不会干，无法使被粘物粘牢，因此使用时必须加入一种叫固化剂的物质，按配比与环氧树脂混合，再涂在被粘的金属或玻璃表面，几个小时以后，树脂就固化了，将被粘物牢固地粘结起来。要注意的是，粘结时被粘物表面的油腻、铁锈等应先清除掉，才能保证良好的粘结。市售的环氧胶因此都是分两管包装的，即树脂和固化剂。一旦混合就应马上用掉，否则固化后就没有用了。

由于环氧树脂的粘结强度很高，可以用在工业上，粘结金属结构，修补混凝土构件等，因而又被称为结构胶。

显微镜为什么能观察微观世界?

16世纪，荷兰著名磨镜师詹森有两个儿子。一天，两兄弟到爸爸的作坊里玩耍，哥哥无意中拿起两块镜片放到铜管的两端，一看，书上的字母变得好大呀!两兄弟把这件事告诉了詹森，詹森高兴极了，两兄弟帮助父亲詹森制造成功了世界上第一架显微镜。

显微镜里靠近物体那块凸透镜叫物镜，靠近眼睛那块凸透镜叫目镜。物体先通过物镜在两个镜片之间形成第一次放大的实像，这个实像又恰好落到了目镜的焦距以内，这样又把经放大的实像再次放大。所以我们从目镜上往下看，就会看到比实像大得多的虚像。最先的最原始的显微镜就是这么制作成的。

今天，随着科技事业的发展，显微镜的制作越来越先进，已经从光学显微镜发展到了电子显微镜，但制作的基本原理仍没有改变。

光学显微镜

为什么核能可以造福人类?

人类对核能的应用首先是在军事上，1945年美国在日本广岛和长崎投下的原子弹造成了大量的人员伤亡。如今，核能作为一种安全、清洁、经济的新能源正在被大量使用。

二次世界大战后，人类开始和平利用原子能。1954年6月，世界上第一座核电站在前苏联建成投入使用。核电站同火电站一样都有锅炉、气轮机、发电机等设备。所不同的是核电站烧的不是煤、石油、天然气，而是放射性金属——铀。铀裂变产生很高的能量，把反应堆内的水加热到高温，并转化为高温高压的水蒸汽，水蒸汽带动汽轮机，并使发电机转动发电。

核电站安全可靠，对环境的污染也微乎其微，而火力发电的废渣、废气会严重污染环境。核电站的发电成本也远低于火力发电的成本。一座

100万千瓦的核电站，一年仅消耗1500千克的铀。地球上的核燃料储量相当丰富，据保守估计，地球上储藏的铀可供人类使用20000年，所以核能可以为人类造福。

为什么高速公路没有急弯陡坡和很长的直线段?

两点之间以直线为最短，为什么高速公路没有很长的直线段?

高速公路因为是高速的，所以不能有很长的直线段。因为长时间的直线行驶，司机的眼睛容易疲劳，注意力容易分散，以致不知不觉中就昏昏欲睡了，这样不利于安全行车。

高速公路没有急弯陡坡是容易理解的。汽车在拐弯时会产生离心力，拐弯越急越快，离心力就越大，因此有急弯就只能缓慢行驶，要高速就只能拐大弯，否则就容易出交通事故。因此高速公路在设计弯道时，尽可能加大拐弯的弧度，使汽车在高速的情况下顺利通过。

爬陡坡慢而费力，下陡坡滑而危险。所以高速公路规定：每前进100米，最多不能有超过3米的坡度。因此高速公路的路面是蜿蜒、曲折、平缓的，它就像一条玉带，镶嵌在大地山河之中。

维萨核电站位于芬兰沿海的维萨市。该核电站在环境保护方面做得非常出色，排放到大海里的废水不含有任何有害物质，使附近海域水质十分洁净。

为什么大海是蓝颜色的？

要回答这个问题，首先得弄清楚人的眼睛能看见颜色，完全是因为某种颜色的光反射进我们的眼睛里。太阳光看起来是白色的，实际上却是由红、橙、黄、绿、蓝、靛、紫7种颜色组成的。当我们用眼睛看到一顶红色的帽子时，是帽子把其它6种颜色的光都吸收了而只把红色光反射出来，所以我们看到的帽子是红色的。

蓝色的大海给人的感觉特别美丽壮观，但当我们舀起一杯海水时，会发现海水是无色透明的，和我们平时见到的自来水和河水没什么两样。

原来，大海的颜色不过是光搞的把戏。在太阳光中，红色和橙色光的波长最长，绿色光的波长中等，蓝色和紫色光的波长最短。当太阳光照在海面时，波长比较长的光线能一直向下，到达水下30～40米深处时，被水完全吸收掉了，因此我们的眼睛就看不到这些光线。蓝色光虽然也有很少一部分进到水中，被水吸收了，大部分却在海面上就散射开来。蓝色的散射光进到我们的眼睛里，我们看到的海水就成了蓝色的。另外，天空也是蓝色的，海水把天空的颜色也反射出来，就显得海水更蓝了。

在蔚蓝色的大海上嬉戏是我们每个人的梦想。

什么是数码相机？

在数字化浪潮扑面而来的今天，新技术和新产品对我们生活的影响越来越大。数字化的产品已成为了一种时尚，数码相机就是数字化产品的代表之一。

数码相机是一种能够把拍摄到的景物转换成数字格式存放的照相机。与传统相机相比，二者最大的区别是它们使用的感光材料与存储介质不

数码相机广泛使用在各个领域，为人们的工作和生活带来了无穷的方便和乐趣。

同，传统相机使用胶卷，而数码相机使用光电耦合器（CCD），并用存储设备（如记忆棒、SM卡或CD－R）来保存图像。

光学相机依靠传统的胶片冲洗技术，对大多数人来说，其图像处理是一件令人痛苦的工作：冲洗、检查冲洗出来的照片的效果（常常需要多次冲洗才能得到令人满意的照片）。有

高耸入云的电视塔

了数码相机，一切都变得简单多了：你可以根据自己的要求，随意拍摄，然后直接把图像下载到电脑中，进行编辑处理。有了数码相机，就不再需要胶卷，不再需要冲洗。有了它，你就能够方便快速地生成可供计算机处理的图像。现在，数码相机已经成为数字图像处理中必不可少的工具。

电视塔上的大圆球里装的是什么？

电视塔上的大圆球里装着电视台的微波接收天线。例如电视台要现场转播体育场的比赛，就在体育场门口停一辆电视转播车，车顶上的天线对准电视塔中间大圆球里的接收天线。电视台就会接收到转播车发出的微波信号，经放大以后，由电视塔发射出去，我们就可以看到体育场比赛的现场实况了。

船只是怎样通过三峡大坝的？

三峡大坝把长江拦腰截断，长江上游的水位抬高了许多。很多人会问：来往的船只是怎样通过三峡大坝的呢？

为了保证截流后长江上下游通航无阻，在修建三峡大坝的时候，专门在坝上修建了几座通航大水闸，每座水闸内都可停放几只大轮船。过往船只少时，只须开启一座水闸，船只多时，可以开启两座或三座水闸。

例如，上游方向来的船只过坝，就开启水闸的上面闸门，船只进入水闸后，闸门关闭，闸内抽水机开动抽

水闸为船舶的正常航运提供了便利。

水，闸内水位降到下游水位时，抽水机停止抽水，下游闸门打开，船只平稳地航进下游水道。从下游方向来的船只，随即进入水闸，水闸关门放水，水闸内水位上升到上游水位时，靠上游的水闸门开启，从下游来的船只得以平稳地进入上游水域。

为什么防毒面具能防毒？

在电影或电视中，我们常常看到一些士兵佩戴防毒面具进行军事训练的镜头。防毒面具里装的是什么东西？它为什么能防毒气呢？防毒面具里装的是活性炭。它是用木材等东西在隔绝空气的条件下，先烧制成木炭，再经过水蒸气特殊处理得到的一种黑色粉末状颗粒。每颗微粒都有一定的表面积，据测定，1克活性炭有几十万颗微粒，总的表面积高达1000多平方米。当活性炭与各类气体、液滴接触时，由于具有巨大的表面积，可以吸附大量的

防毒面具

气体或液滴。防毒面具内的核心部件是滤毒罐，它由滤烟层、装填层组成。滤烟层能对付毒烟、毒雾以及颗粒较大的固体和液滴；装填层中放的就是活性炭。先进的防毒面具中的活性炭，表面还浸附有微量的氧化银、氧化铬等催化剂。当毒气通过活性炭时。有毒的成分被大量吸附，无法进入人的呼吸系统；同时在催化剂作用下，它与氧化银、氧化铬发生化学反应，产生可供呼吸的氧气。

曾作为电冰箱制冷剂而被广泛使用的氟里昂虽然对人体无害，但会破坏大气层中的臭氧。因此，近年来它已逐渐停止生产和使用。

为什么电冰箱能制冷？

电冰箱是利用氟里昂液化气在蒸发化成气体时，要吸收热量的原理而设计制造的。以双门电冰箱为例：冰箱底部安装着压缩机，它的任务是给进入压缩机的气态氟里昂增加压力。加压后的气态氟里昂温度很高，让它进入冷凝器降温成为液态氟里昂。液态氟里昂又通过干燥过滤和螺旋毛细管，去除混入液态氟里昂中的污物、水分并降低压力，最后进入冰箱上部冷冻室里的蒸发器，迅速蒸发为气体氟里昂，大量吸收冰箱冷冻室内储藏的食品的热量。经过这个过程以后，变成气体的氟里昂再次被压缩机抽吸进去，进入下一个制冷循环。经过一个又一个循环，电冰箱内的温度很快下降，直到达到规定要求的冷冻温度，压缩机自动停止运转，等待重新启动。

为什么雨后的空气特别新鲜？

夏天多雷雨，忽然间的雷鸣闪电，也许会把你吓一大跳，但雷雨后的空气格外新鲜，也能使你心情愉快。因为山河大地，被雨水洗了个澡，空气中的尘埃，大部分被雨水冲掉，特别是空气中的氧气，在闪电中变成了臭氧，因而空气格外新鲜。臭氧和氧气的分子含氧原子数量不同，一个氧气分子中，含有2个氧原子，而一个臭氧分子中，却含有3个氧原子。我们去电动机房可以感受到臭氧的存在。只要关上窗户，不一会就会闻到

多亏了臭氧，我们才能闻到雨后清新的空气，避免了紫外线的过度伤害。

为什么房屋的朝向坐北朝南好？

我国的房屋朝向大部分是坐北朝南，过去的皇帝宫殿，毫无例外是坐

坐北朝南，基本上是北半球所有建筑的共同特征。

一股臭味，这就是臭氧到你的鼻子里旅行来了。原来电动机的电压很高，它里面的电刷不断产生电火花，电火花激发周围的氧气变成了臭氧。雷鸣闪电时的臭氧就是这么产生的。浓浓的臭氧是蓝色的，很臭；稀薄的臭氧一点也不臭，反而会给人一种清新的感觉。臭氧的氧化能力很强，能够漂白杀菌，净化空气，使空气清新。松林里的松树脂，很容易被氧化变成臭氧，因此有的疗养院就常常设在松树林里，人们也喜欢种植松树美化环境。

北朝南的；老百姓盖房，凡是有条件的，也尽量选在坐北朝南的位置上。

为什么呢？因为我国位处地球的北半部，冬天，太阳从南边斜射过来，朝南的房子，可以尽情地享受太阳的温暖，而把寒冷的西北风让到房后面去。夏天，太阳接近天顶，酷热的阳光一般不愿去南窗旅行，而你也巴不得阳光有这种"过门不入"的美德。至于东南风嘛，南窗是欢迎的，把东南风请进屋里，你会感到凉爽舒适。冬暖夏凉，安居乐业，这就是座北朝南的好处。不过，如果在南半球居住，就应以坐南朝北为好了。

为什么说GPS系统是新型的指南针？

GPS系统的全称是全球卫星定位系统，它是美国开发的一种太空无线电导航系统。它可以在全世界的任何一个角落为GPS用户提供极高精度的位置、速度和时间信息。

GPS系统由空间部分、地面部分和用户部分3大部分组成。空间部分是GPS系统的主体，它由24颗卫星在近地轨道上组成了一个卫星网，每颗卫星都不断向地面传回表示位置和时间的信号。地面部分由一个中心监测站、5个地面监控站和一个数据发送站组成。地面部分的主要工作是监测、控制卫星的工作。用户需要拥有一个GPS接收器才能使用GPS系统。GPS接收器的体积只有巴掌大小，携带方便，定位精度可以达到10米以内。

美国军队已把GPS接收器列为标准装备，1995年，一位美国飞行员驾驶飞机在前南斯拉夫地区上空执行北约禁飞区计划时，被地对空导弹击落，飞行员被迫跳伞逃生。第6天后，由于他随身携带的GPS系统准确提供了他所在的方位，飞行员奇迹般地被营救人员救出。

现在，GPS系统已经提供民用服务，精度在100米左右。它可以为飞机、轮船提供时空信息，帮助登山运动员和出租车司机确定方位。过不了多久，人们出门旅行的时候，也会用上这种新型的"指南针"了。

美军士兵正在使用GPS仪器。

为什么坦克在今后战争中仍然会有用武之地?

现在有了原子弹、导弹,枪炮、坦克这些常规武器还有用武之地吗?有的。一旦战争爆发,短兵相接是不可避免的,原子弹和导弹在狭小局部战场无法施展巨大的破坏力,这时候,坦克仍可大显威风。坦克具有三大特点:行动快速机动,武器装备先进,自卫能力强大。

坦克行动灵活机动,看起来很笨的坦克,由于发动机功率达600～1500马力,50吨重的坦克6秒钟便可加速到每小时32千米的行车速度。它的履带长而宽,因此在松软泥泞、坑坑洼洼的道路上,也照样每小时以60～80千米的速度来往奔驰,同时能左、右转向。

现在新型坦克上,已装有152毫米的主炮,它一发穿甲弹,能把2千米处的300毫米厚的高强合金钢板击穿。坦克与敌方坦克相遇,谁先击中对手,谁就是战斗的胜者。现在已利用了激光测距仪、热成像瞄准镜、火炮双向稳定器和电子弹道计算机等,组成了火炮的控制系统。如红外成像瞄准镜,能在暗中看清3千米以内的景物;火炮双向稳定器,能在坦克车体振动和颠簸情况下,自动调节火炮瞄准角,使炮口准确无误地指向目标。

坦克不仅打别人,自己还要经得起挨打。近年来,发明了一种抗穿透力的陶瓷复合装甲。它的面板层是硬度很高的合金钢,底板层是韧性很强的合金钢,中间一层由许多陶瓷小圆球组成,圆球之间空隙里,填充了玻璃增强树脂。一颗穿甲弹飞来穿过"夹心饼干"的面板层,弹头已经变钝,中层强硬的陶瓷圆球又分散了弹头的冲击力,最后撞到内层底板,已经失去了穿透能力。

这些特点都使坦克在战斗中大显身手。

以色列梅卡瓦式主战坦克

你知道什么是船吸现象吗?

1912年秋天,奥林匹克号正在大海上航行,在距离这艘当时世界上最大远洋轮的100米处,有一艘比它小得多的铁甲巡洋舰豪克号正在向前疾驶,两艘船似乎在比赛,彼此靠得较拢,平行着驶向前方。忽然,正在疾驶中的豪克号好像被大船吸引似地,一点也不服从舵手的操纵,竟一头向奥林匹克号闯去。最后,豪克号的船头撞在奥林匹克号的船舷上,撞出个大洞,酿成一件重大海难事故。

这种现象是什么造成的?当两艘船平行着向前航行时,在两艘船中间的水比外侧的水流得快,中间水对两船内侧的压强,也就比外侧对两船外侧的压强要小。于是,在外侧水的压力作用下,两船渐渐靠近,最后相撞。由于豪克号较小,在同样大小压力的作用下,它向两船中间靠拢时速度要快得多,因此,造成了豪克号撞击奥林匹克号的事故。现在航海上把这种现象称为船吸现象。

鉴于这类海难事故不断发生,而且轮船和军舰越造越大,一旦发生撞船事故,它们的危害性很大。因此,世界海事组织对这种情况下航海规则作了严格的规定,它们包括两船同向行驶时,彼此必须保持多大的间隔,在通过狭窄地段时,小船与大船彼此应作怎样的规避,等等。

船吸现象不仅会在船舶间发生,而且空中飞行的航空器如果靠得太近,也存在这种危险。

为什么称驱逐舰为海军的"多面手"？

一说到驱逐舰，很多人都知道它是"多面手"，为什么称它为"多面手"呢？

本来，人们研制驱逐舰的初衷，主要是让它打击鱼雷艇，捎带着用鱼雷攻击敌舰。可见，那时人们是让它充当以战列舰、巡洋舰为核心力量的海军舰队的辅助力量。驱逐舰的武器以鱼雷、舰炮为主，所以又叫"雷击舰"。然而，在实战中，人们一方面扩大驱逐舰的躯体，使其续航力、舰载量不断加大，另一方面，又不断把越来越多的武器安装到驱逐舰上，让它用多种武器打击多种目标。

1935年，意大利进兵埃塞俄比亚时，出动了大批作战飞机。各国海军由此得到启发：航空兵力，对海上舰队同样会构成威胁，舰队应有足够的防空力量。不仅航空母舰上有足够的飞机与敌空中力量对抗，而且驱逐舰也应担负起共同的防空使命。到1939年，世界上就出现了防空驱逐舰——

舰上配备了当时最先进的防空武器。

紧接着，许多国家海军又让驱逐舰担负起布雷、巡逻、护航、登陆支援等项使命。结果证明，这些不大不小的驱逐舰，对人们赋予的这些使命都能胜任。随着深水炸弹的出现，驱逐舰又担负起反潜的任务。

现代驱逐舰主要担负6种任务：担负航母编队的防空和反潜任务；协同编队防空、反潜和对海攻击；担负两栖编队的防空和反潜任务；承担海上补给编队的护航任务；在两栖作战

美国E-3型电子预警飞机

中实施火力支援；担任海上巡逻、警戒、封锁、搜索和求援。

自从导弹装备到驱逐舰上以后，它又增加了打击远距离的重大目标的任务。

海湾战争中，美国使用大型驱逐舰，对伊拉克本土的战术目标发射"战斧"巡航导弹，充分显示出导弹驱逐舰的威力，令世界瞩目。

为什么说预警机是空中指挥部？

空中预警机集预警、指挥控制和通信功能于一体，起着活动雷达站和空中指挥中心的作用。空中预警机一般由载机及监视雷达、数据处理、数据显示与控制、敌我识别、通信、导航、探测等7个电子系统组成。它实际是把预警雷达及相应的数据处理设备放到9000～10000米高空。它能及早地发现和监视从各个空域入侵的300～600千米以外的空中目标，而且还能引导和指挥己方的战斗机进行拦截。它克服了地雷预警雷达的低空盲区，扩大了预警的空间范围。美军E-3预警机是美国波音公司根据美国空军空中警戒和控制系统计划，在波音707民航机的基础上改装的美国第三代预警机。它集指挥、控制、通信与情报功能于一体，能在各种地形上空监视有人飞机与无人驾驶器，是目前世界上性能最好，技术最复杂、价格最昂贵的预警飞机。海湾战争中，美国共出动11架E-3预警机到海湾地区执行空中预警指挥任务。在"沙漠风暴"行动中共指挥控制了9万架次飞机的行动，平均每天2240架次，成为"沙漠风暴"行动中的"空中神经"，对夺取海湾战争的胜利起了关键作用。

国产导弹驱逐舰是我们国家海上的一道"钢铁长城"。

什么是榴弹炮？

16世纪英国人发明了一种装有许多金属小弹丸的球形爆炸弹，并用一种木制信管来控制爆炸时间。由于这种镶嵌有许多小金属弹丸的球形爆炸弹像多籽的石榴，所以叫它为"榴弹"。它爆炸时，小金属弹丸和破弹片四处飞射，杀伤力很大。用以发射榴弹的火炮，就叫"榴弹炮"。

第一次大战中榴弹炮身管长已增大为口径的15～22倍，其射程提高到14200米。二次大战中，其枪身管长已增大为口径的20～30倍，最大射程可达18100米。我国于19世纪80年代自制了各种后装式榴弹炮。沈阳兵工厂在1925年仿制了奥地利105毫米榴弹炮和日本150毫米榴弹炮。

美军的"火力战将"— M109式全履带155毫米自行榴弹炮，是美国陆军为了贯彻全球战略和打核战争的战略思想，于1932年8月开始研制的。该炮1963年装备部队，是世界上最著

榴弹炮是军用火炮里的寿星，至今仍在近距离火力压制方面起着重要作用。

名的自行榴弹炮之一。美国陆军对它进行了多次改进，始终保持着较先进的技术水平。目前共有基本型与A1～A6等七种型号。该炮是世界上第一种采用专用底盘的自行榴弹炮，截止至1988年，M109型火炮共生产了6700门，是世界上装备数量最多的。不仅美军装备该炮2400门，而且英国、德国、加拿大、以色列、伊朗、沙特等30多个国家也都装备了这种型号的炮，是装备国家数目最多的自行榴弹炮。该炮曾经参加了越南战争和海湾战争。

美国 C-130 军用运输机

为什么说 C-130 是"空中大力士"？

C-130是美国制造的一种军用运输机，因为作用巨大，被称为"空中大力士"。军用运输机是用于空运兵员、武器装备，并能空投伞兵和大型军事装备的飞机。在现代战争中，军用运输机是提高作战部队机动性，加强应变能力的重要手段。

二次大战后各国研制的军用运输机的共同特点是：货舱容积尽量大，以便装卸货物，货舱里地板上有滚棒，顶部有吊车等设备，便于装卸操纵；舱门开口大，有的机头、两侧、尾部都有舱门，装卸货快捷简便；能在简易机场使用。

C-130能够从事近距离的军事调动、后勤补给、空降伞兵、空投军用物资和疏散伤病员等。它载重量大，有短距离起落能力，能在中小型机场或简易场地起落。因此赢得了"空中大力士"的美名。

为什么"鹞式"喷气战斗机能垂直起降？

自从飞机进入喷气时代以来，喷气战斗机需要很长距离的跑道才能起飞降落。针对喷气式战斗机的这个弱点，许多国家在制定军事战略时，都把敌对国的机场作为第一轮打击目标，从而使对方的空中力量无法发挥战斗力。为了解决这个问题，英国在1968年研制成功了能够垂直起降的"鹞式"战斗机，从而结束了喷气式飞机只能依赖跑道起降的历史，大大提高了军队的战斗力。

"鹞式"飞机能够不借助跑道而像直升飞机一样垂直起降的原因在哪里呢？

原来，鹞式战斗机的发动机与一般喷气式飞机不同。"鹞式"战斗机的发动机有4个喷口，这4个喷口可以产生水平和垂直两个方向的推力。当飞机起飞时，4个喷口同时向下偏转，完全垂直于地面，发动机产生的推力通过垂直喷口就像4根无形的柱子把飞机托起。飞机到空中，飞行员便逐渐操纵喷口向后转动，此时便产生了一个向前的推力，飞机的重量便由机翼产生的升力支撑，发动机产生的推力推动飞机前进。

当"鹞式"飞机需要垂直着陆时，飞行员操纵喷口逐渐向下偏转，飞机速度逐渐减小。当喷口完全垂直于地面时，飞机没有了前进动力，停留在空中。而后，飞行员开始关小油门，飞机逐渐下降，直至最后着陆。

英国"鹞式"喷气垂直起降战斗机

什么是空中加油机？

空中加油机是空军后勤兵种中极其重要的角色。它可以大大延长战斗机、攻击机等武装机种的留空、续航能力，使它们可以加强制空权，加大纵深打击力度。由于不用再降落来加油，飞机对机场的依赖极大减小，可增加一倍甚至更多的航程。同时增加了机场的调度空间。

空中加油机一般由性能良好的客机改装而成，内部有容量极大的油箱。通过管道把燃油输送给受油机。一般分软管加油和硬管加油。软管加油相对安全，不会因为受油机的速度差而影响加油机。要求是受油机有突出的受油嘴，套住软管口。缺点是软

空中加油机正在为战斗机加油。

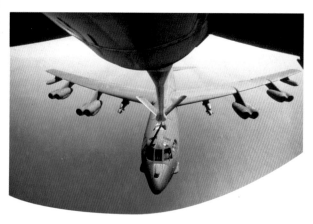

空中加油的近景

管易受气流影响，对接需要耐心，且输油速度低。

硬管加油的输油速度快，受气流影响小，但相对危险。由于是硬管，受油机的速度差会对加油机产生干扰推力，可能造成事故。受油机的受油口一般在机背或机颈。空中加油需要相当的技术，危险系数较高。如果操作不当，极可能导致两架飞机都损坏或坠毁。

为什么舰载飞机与陆基飞机有区别？

舰载机是以航空母舰或其他军舰为基地的海军飞机，主要用于攻击空中、水面、水下和地面的目标，以及预警、侦察、电子对抗、垂直登陆、导弹中继引导、布雷、扫雷、补给和救护等。它是海军在海战中夺取和保持制空权、制海权的重要力量。一般来说，舰载飞机与陆基飞机有许多共同之处，但由于它能在航空母舰上起降，并在海空环境中飞行、作战，所以有一些区别。一是舰载机的起降性能更为优良。由于海洋气象条件和风浪的影响，航空母舰不时摇晃，甲板飞行区面积又有限，这些都增加了起飞和着舰的困难。因此，舰载飞机通常重心低，抗倾倒能力强，具有比陆基飞机更好的起降性能，较低的着舰速度，良好的低速操纵性。二是由于航空母舰起飞甲板长度有限，舰载机须借助母舰上的弹射器起飞。起飞时，舰载机上的挂钩与弹射器相连，在自身发动机推力和弹射力共同作用下，只需滑跑几十米便能脱钩飞离甲板升空。因此机体结构更为坚固，起落架的减震性能更好，能承受得

住弹射起飞加速度和着舰时的冲击负荷。三是舰载机具有拦索着舰的功能。在舰载机的尾腹下都装有着舰钩。着舰时，机上的着舰钩能迅速钩住飞行甲板上的拦阻索，拦阻索两端又与缓冲器相连。在拦阻索的制动作用下，舰载机只需滑跑很短的距离就被强行停止。同时，甲板末端还备有拦阻网，以阻拦不慎冲出甲板的飞机。陆基飞机没有这种装置。四是大多数的舰载机有折叠结构。设计这种结构的目的既是为了缩减舰载飞机在甲板停机坪上的占用面积，以便多放一些值班飞机，同时也便于舰载机在空间有限的舰内机库存放，多数舰载机的机翼可在停放时向上折叠，有的机头和垂直尾翼还可折转。陆基飞机却没有必要设计成这样的结构。五是机体上有系留装置，可将飞机系留在舰上，以防止舰船剧烈摇摆时飞机翻倒。六是舰载机的抗腐蚀能力比较强，以抵御海水的侵蚀。另外，舰载机研制费用和售价均高于多数同类陆基飞机，且有的技术复杂，还要求由技术水平很高的飞行员驾驶。

成编队飞行的美国F-18 "大黄蜂" 式舰载战斗机。

为什么直升机能停在空中？

在天空中飞行的飞机，可以根据需要上升、下降或朝左、右转向，唯独不能停在空中不动。

这是因为飞机必须向前飞，才能使机翼产生一种向上的升力，来克服地球对飞机的吸引力。如果飞机停下来不向前飞行，那么，机翼的升力立刻消失，飞机就会从空中掉下来。

直升机不仅能像飞机一样在天空飞行，而且能悬在半空中。因为直升飞机在机身上方装有产生升力的旋翼。旋翼转得越快，产生的升力也越大，机身可以越升越高。直升机驾驶员只要把旋翼的转速调节到使旋翼产生的升力恰好等于地球对机身的吸引力，这时，直升机就既不向前，也不向后；既不升高，也不降低，而是非

美国军队装备了大量的军用直升飞机，大大提高了其军队的机动性。

常平稳地悬"停"在空中。

由于直升机具有这种特殊的本领，所以它的起飞着陆不需要机场，而且可以进行超低空飞行。

为什么隐形飞机能隐形？

隐形飞机的隐形，是说军用轰炸或侦察飞机可以巧妙地躲开号称"千里眼"的雷达和红外探测器的搜捕，而不被发现。

隐形飞机之所以能"隐形"，主要是采用了隐形高技术，其中包括机体骨架和蒙皮，使用隐形材料、表面隐形涂敷材料，这些材料质坚量轻，能够吸收雷达波。机体蒙皮内，将混杂纱三向织物浸渍树脂压制成蜂窝夹芯材料作为衬里，提高机体吸收雷达的能力。

隐形飞机奇特的外形结构也是能隐形的一大关键。它将常规飞机的圆筒形机身，以及机翼、立尾三者互为直角的连接结构，改为剖面呈棱形、锥形、头盔形的异型机身，或把机身和后掠机翼之间的连接做成圆滑过渡，形成身翼融合的特殊机型，改用倾斜的V形双立尾，起到破坏雷达波发生回波的作用。

由于对方有红外探测器的监视，因此，隐形飞机除了对雷达隐形，还要对红外探测器隐形。将飞机发动机的进排气口设置在飞机顶部，并在排气口安装排气和吸热装置，使高温喷流在排出前吸入冷空气，迅速降温，减少发动喷口的热源，不让地面红外

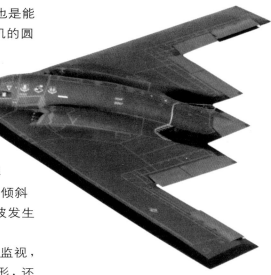

美国B-2战略隐形轰炸机

探测器测到飞机的红外辐射。对于噪声则用吸声装置，并设计了低噪声发动机。

1991年海湾战争中，美国使用的隐形F-117A战斗轰炸机和B-2轰炸机建立了奇功，但防空电子技术的发展常常相生相克。地面雷达失去作用，并不能逃脱空中预警飞机机载雷达的搜索探测。因此，隐形飞机并不是不可战胜的空中霸王。

火箭和导弹是一回事吗？

火箭和导弹的模样差不多，都长着一个圆柱形的身子。所以有人就以为它们是同一种东西，只不过名称不同罢了。其实，火箭和导弹并不是一回事。

火箭的尾部装有火箭发动机。当发动机点火发动后，燃料燃烧生成的

大量气体从后面开口的地方高速喷出去，产生强大的推力，推动火箭飞速前进。由于它可以上升到空中很高很高的地方、飞行到距离很远的地方，所以科学家用它发射人造卫星、载人飞船以及探测太空等。如果将炸药装在它头部，就成为一种火箭武器。

导弹实际上就是能接受远距离操纵和引导的飞行炸弹。它除了装有与火箭一样的发动机外，还有一套非常精确的无线电信号收、发设备，随时接受命令，或者自动寻找和对准目标进行轰炸。正因为这样，它被称为"导弹"。

地对地导弹是各个国家战略打击力量的主要组成部分。

为什么中子弹是以中子为主来杀伤生命的？

原子是由原子核和外层电子构成的。原子核又是由质子和中子组成。质子是带正电的，中子不带电。中子一旦从原子核里面发射出来，它就不受外界电场的作用，所以，中子穿过物质的本领特别大。中子穿过生物体时，会引起人体组织里的炭、氢、氮原子发生某种核反应，从而破坏细胞组织，使人发生痉挛，间歇性昏迷和肌肉失调，严重时在几天甚至几小时内会导致死亡。中子弹就是利用中子这些特性来杀伤生命的。

中子弹是由氢弹发展而来的，是一枚小型氢弹，但又不同于氢弹。中子弹爆炸时发射出来的中子能量要占整个能量的70%以上，冲击波和热辐射只占30%左右。不难看出，中子弹是以中子为主来杀伤生命的。中子弹爆炸时，放射污染只集中在爆炸中心，所以中子弹爆炸后几小时，人就可以进入中子杀伤区。中子杀伤区内

原子弹爆炸后升起了蘑菇状的云团。

的筑物、财产、军事设施不受中子破坏，缴获后马上可以利用。

中子弹的中心由一个超小型原子弹做起爆点火，它的周围是中子弹的炸药氚和氘的混合物，外面是用铍和铍合金做的中子反射层弹壳。

为什么原子弹爆炸后，会出现蘑菇云？

原子弹爆炸时，会产生几千万度的高温，同时在爆炸中心地区产生几万亿百帕的压力，而且这个过程只是在几万分之一秒间产生的。这个高温高压下的火球向爆炸中心四周激烈扩散，数秒钟后变成高温高压下的烟球，它向一个阻力最小的方向天空冲起，到了几百米的高空，一面上升，一面向四周扩展，逐步形成蘑菇烟云。这时候带上天空去的一些小石子、石

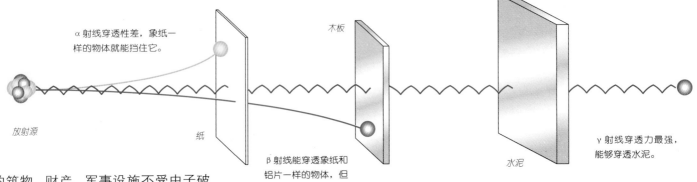

α射线穿透性差，象纸一样的物体就能挡住它。

放射源 纸

木板

β射线能穿透象纸和铝片一样的物体，但不能穿透木板。

水泥

γ射线穿透力最强，能够穿透水泥。

各种射线穿透比较示意图

块等像雨点般从烟云中掉下来，最后，烟云中的灰尘也慢慢落下来，烟云也逐步由浓变淡而向四周扩散。

原子弹爆炸中的光辐射及高温的杀伤和烧伤破坏力都很大。而破坏力最大的是爆炸时高压形成的冲击波，它能震倒建筑物，冲倒地面的东西。从烟云掉下来的石块和灰尘，还都带有放射性。原子弹的威力虽然很大，但不是像有些人所说，它的巨大的破坏力残留的原子辐射，能使爆炸区的

生命彻底灭绝。

1946～1948年，美国比基尼和埃尼威托克珊瑚群岛进行了60多次原子弹爆炸。1946年美国科学家到这些岛上进行调查，看到岛上的植物长得很茂密，鱼、珊瑚、海藻在水中长得很好，鸟、鼠跳跃，人也在岛上正常生活着。

什么是化学战？

化学战是使用化学武器杀伤人畜，毁坏作物、森林的作战手段。它通过毒剂的多种中毒途径，以及在一定的染毒空间和毒害时间内所产生的战斗效应，杀伤、疲惫和迟滞对方军队，以达到预定的军事目的。化学战受气候、地形的影响较大。它只能对缺少防护装备，防护组织不健全，措施不严密，训练素质差的军队产生重大杀伤作用。

放射性金属放出的射线在穿透物质时，会改变物质的分子结构。因此，它可用于医疗、工业等方面。但它也能破坏人体的正常细胞。

防备生化武器的袭击是各国军队都十分重视的课题。

什么是航空母舰？

航空母舰是以一定数量的舰载飞机为主要武器并作为其海上活动基地的大型军舰，实质上它是一座浮动的海上机场。

它的基本任务是提供作战飞机，对敌方舰艇、基地、岸基航空兵以及战略目标进行突然袭击掩护和支援两栖登陆，夺取登陆地区制空权，在作战海区及海上交通线上夺取制海权，消灭敌水面舰艇、潜艇和运输船队，其制空、制海半径可达1000公里以上。

航空母舰可分为攻击航空母舰和多用途航空母舰两大类。攻击航空母舰以战斗机为主要武器，多用途航空母舰以直升机为主要武器。航空母舰起源于20世纪初，第一次世界大战时开始用于海战，第二次世界大战中显示了强大的威力，成为舰队的主力和大国争夺海洋控制权的重要工具。目前，航空母舰的排水量一般在1～9万吨之间，航速为20～35节，其所需主机功率达28～30万马力。航空母舰上部有一

个供飞机起飞、降落用的、宽阔而平坦的飞行甲板。它的惟一上层建筑

——驾驶和指挥中心位于右舷，其余甲板面积可分为起飞，降落和待机三个区域。和陆上机场相仿，航空母舰飞行甲板上也有供飞机起飞、降落用的平坦跑道。起飞跑道位于舰首部，飞机起飞时是向首端冲出，这样可充分利用本舰航速以加快飞机起飞速度；降落跑道在航空母舰上称为斜角

甲板，它位于舰尾部左舷，其中心红与起飞甲板中心线之间的夹角为10度，飞机着舰时是从舰尾沿着斜角甲板进入，这样飞机的着舰速度相对减小，有利于飞机降落。

由于航空母舰上的起飞跑道长度很有限，飞机滑行至甲板端时还不可能加速到起飞速度，为此在飞机甲板首部装有飞机弹射器，可使飞机加速到足以起飞。此外，飞机着舰时的降落速度仍然很高，而斜

角甲板长度也有限，如不采取有效措施，着舰后的飞机将很快冲越甲板复飞或掉入海洋，为此在斜角甲板后部装有阻拦索、阻拦网等，以保证飞机安全着舰和停止。平时飞机存放在飞行甲板下的机库里，使用时依靠升降机把飞机从机库运升至飞行甲板上待机区。舰员的生活，工作区也大部分在飞行甲板以

正在破浪前进的美国"尼米兹"级核动力航空母舰

下。舰上还装有各种现代电子设备，供驾驶航空母舰和指挥作战飞机使用。

航空母舰示意图

航空母舰火力强大，有"流动机场"之称。

什么是手枪？

手枪是可用一只手操纵发射的短枪。主要用于近距离作战和自卫防身，小巧轻便，使用简单，能在需要时迅速开火，有效杀伤距离50米左右。手枪可按构造分成转轮手枪和自动手枪。转轮手枪的转轮上通常有5～6个弹巢，里面装有子弹，发射时依次对正枪管射出子弹。自动手枪也就是常见的手枪，自动是指利用发射子弹时的火药冲力，使枪管或枪机后坐，退出弹壳，推下一发子弹进膛，即自动完成退壳、装弹的循环过程。自动手枪用弹匣供弹，一般装在握把里，容量为6～20发。

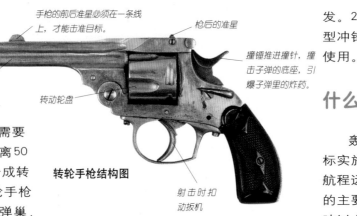

手枪的前后准星必须在一条线上，才能击准目标。

枪后的准星

撞锤推进撞针，撞击子弹的底座，引爆子弹里的炸药。

枪管

转动轮盘

射击时扣动扳机

转轮手枪结构图

什么是地空导弹？

地空导弹是从地（水）面发射攻击空中目标的导弹，又称防空导弹。主要用于保护地面设施和部队、人员安全，攻击敌方空中飞机。地空导弹与目标搜索指示、制导、发射系统和

前苏联 AK-47 冲锋枪

美国"爱国者"地空拦截导弹发射时的情景

技术保障设备等共同构成地空导弹武器系统。地空导弹由弹体、制导装置、动力装置、战斗部和电源等组成。实战中，地空导弹往往与其他防空火力配合，形成不同射高、不同射程的防空火力网，以对付空中的各种飞机。

什么是冲锋枪？

冲锋枪是单兵使用、双手握持的连发枪械。火力强于手枪、步枪，弱于机枪，比步枪和机枪短小轻便，适用于近战和冲锋，200米内有良好的杀伤力。冲锋枪枪管较短，结构简单，射速高，长点射时可达到100～120发／分钟。采用弹匣供弹，容量一般为20～40

发。20世纪60年代后出现了一些微型冲锋枪，更为小巧轻便，可以单手使用。

什么是轰炸机？

轰炸机是专门用于地面、水上目标实施轰炸的飞机。具有突击力强、航程远的特点，是空军实施空中突击的主要机种。按载弹量要分重型（10吨以上）、中型（5～10吨）和轻型（3～5吨），按航程可分为远程（8000千米以上）、中程（3000～8000千米）和近程（3000千米以下），按执行的范围可分为战略轰炸机和战术轰炸机。现代轰炸机体形巨大，起飞重量在几十吨至上百吨。可以携带普通炸弹、核弹、鱼雷、空地导弹以及自卫的空空导弹等。

美国 B-29 型"空中堡垒"轰炸机

你知道什么是"哈勃"太空望远镜吗？

"哈勃"太空望远镜是美国为了探测外层星际空间而花费巨资建造的。它长13.3米，直径4.3米，重11.6吨，造价近30亿美元，于1990年4月25日由美国航天飞机送上高590千米的太空轨道，安放在大气层之外的朦胧太空。它以时速2.8万千米的速度沿寂静的太空轨道运行，凭借

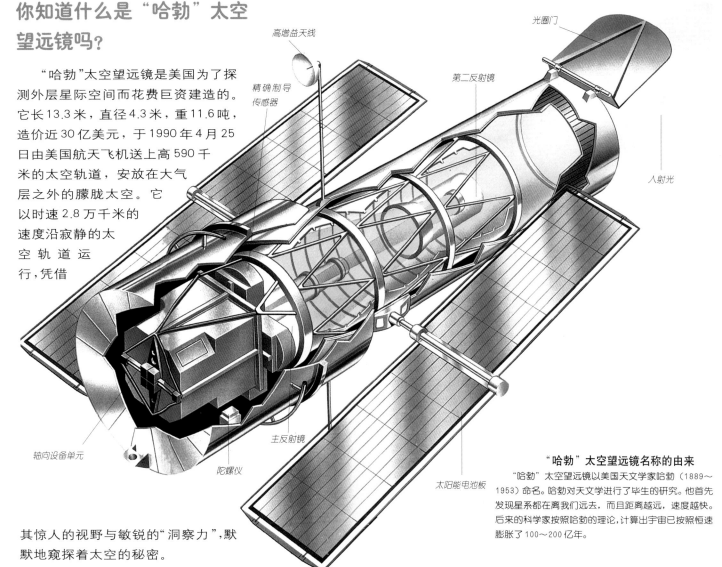

高增益天线

精确制导传感器

第二反射镜

光圈门

入射光

轴向设备单元

陀螺仪

主反射镜

太阳能电池板

"哈勃"太空望远镜名称的由来

"哈勃"太空望远镜以美国天文学家哈勃（1889～1953）命名。哈勃对天文学进行了毕生的研究。他首先发现星系都在离我们远去，而且距离越远，速度越快。后来的科学家按照哈勃的理论，计算出宇宙已按照恒速膨胀了100～200亿年。

其惊人的视野与敏锐的"洞察力"，默默地窥探着太空的秘密。

"哈勃"望远镜是有史以来最大、最精确的天文望远镜。它的广角行星相机可拍摄到几十到上百个恒星照片，其清晰度超过地面天文望远镜10倍以上，其观测能力等于从华盛顿看到1.6万千米外悉尼的一只萤火虫。

科学家利用"哈勃"望远镜取得了一系列突破性的成就。沉寂多年的天文学领域，发生了天翻地覆的变化。

1999年4月，利用"哈勃"望远镜拍摄到的太空图像，美国纽约大学斯托尼布鲁克分校的研究人员发现了宇宙边缘附近的一个古老星系，这是迄今为止人类所发现的最遥远的天体。科学家利用"哈勃"望远镜的近红外仪器，透过茫茫的星际，发现了"皮斯托"星，这是至今发现的最大的一个天体。利用"哈勃"望远镜的宽视场和行星摄像机，科学家获取了第

一张伽玛射线爆发的光学照片；"哈勃"望远镜上的超级摄谱仪还向人们揭示了超新星的化学成分。

"哈勃"望远镜预计2010年"退休"。21世纪的太空望远镜研制计划正紧锣密鼓地在全世界范围内展开。21世纪初叶，将有数台大型天文观测设备送入外层空间，这将是继"哈勃"望远镜取得的辉煌成就之后的，人类探测太空的又一次大手笔。

谁来接"哈勃"的班？

"哈勃"太空望远镜还要再过约10年才正式"退役"，但对航天界来说，由谁来接替"哈勃"，如何顺利地实现"交接"，已经是不容回避的问题。

目前，"哈勃"最有希望的"接班人"，是美国宇航局正在牵头筹划的"下一代太空望远镜"。按照设想，"下一代太空望远镜"将于2008年底至2009年初升空，它将主要在远可见光和中红外波段上进行观测。作为哈勃望远镜的替代者，"下一代太空望远镜"具有比哈勃高出百倍的灵敏度，能观察到宇宙中最古老和最黯淡的星云团。

"下一代太空望远镜"将被放到距地球150万公里的位置上。在这里，地球和太阳的引力相互抵消，望远镜相对于地球和太阳相对保持静止，仅需少量燃料就可维持运行。根据可行性计算，如果采用先进的技术，再加上有效的管理，"下一代太空望远镜"造价可以做到比"哈勃"低得多。

你知道什么是阿波罗登月计划吗?

在 20 世纪 60 年代的载人航天活动中,最为辉煌的成就莫过于阿波罗载人登月飞行。

早在 20 世纪 60 年代初,美国宇航局提出了"阿波罗登月计划"。经过 8 年的艰苦努力,连续发射了 10 艘不载人的阿波罗飞船之后,终于在 1969 年 7 月 16 日成功发射了载人登月的阿波罗 11 号飞船。

1969 年 7 月 16 日,"阿波罗－11"号飞船经过长途跋涉,进入月球轨道,人类首次登月行动开始了。宇航员阿姆斯特朗小心翼翼地踏上了月球表面的土地。这时的他感慨万千:"对一个人来说这是一小步,但对人类来说却是一个飞跃!"18 分钟后,宇航员奥尔德林也踏上月面,他俩穿着宇航服在月面上幽灵似的"游动"、跳跃,拍摄月面景色、收集月岩和月壤、安装仪器、进行实验和向地面控制中心发回探测信息。

活动结束后,阿姆斯特朗和奥尔德林乘上登月舱飞离月面,3 名宇航员共乘指挥舱返回地球,在太平洋溅落。整个飞行历时 8 天 3 小时 18 分钟,在月面停留 21 小时 18 分钟。时间虽然短暂,却是一次历史性的壮举。

从 1969 年至 1972 年底,美国共发射了七艘载人飞船进行登月飞行。其中 1970 年 4 月 11 日发射的阿波罗 13 号飞船,途中由于服务舱氧气箱爆炸遇险,宇航员依靠登月舱的动力装置,并借助绕月飞行的助力,于 17 日平安返回地球,三名宇航员安然无恙。这次登月飞行被认为是一次成功的失败。其他六艘阿波罗号飞船,乘载 18 名宇航员参加登月活动,共有 12 名宇航员登上月球,在月面开展了一系列实地考察工作。包括采集月球土壤和岩石标本,在月面建立核动力科学站,驾驶月球车试验等。他们在月面共停留了 302 小时 20 分钟,行程 90.6 公里,带回 381 千克月球土壤和岩石样品,实地拍摄了月面照片,初步揭开了月球的真实面貌。

在阿波罗登月计划中,美国宇航员多次登上月球表面。

照片从左向右依次是内尔·阿姆斯特朗、布兹·奥尔德林、迈克尔·科林斯。他们三人乘坐阿波罗 11 号宇宙飞船于 1969 年 7 月 16 日首次登上月球并在月球上行走,实现了人类征服月球的梦想。

美国宇航员在阿波罗登月计划中使用的登月车

你知道国际空间站吗?

国际空间站是人类迄今为止规模最大的载人航天工程。1993 年美国政府将"自由"号空间站计划由美国独自建造改为国际合作建设,联合俄罗斯、日本、欧洲航天局及加拿大作为伙伴共同筹建。

国际空间站预计将在 2004 年建成,完工后由 6 个实验舱、一个居住舱、两个连接舱、服务系统及运输系统等组成,是一个长 88 米,重约 430 吨的庞然大物,站上居住舱容积为 1200 平方米。

1998 年 11 月,人类第一个进入地球轨道的美国宇航员、77 岁的老格伦带着他未泯的雄心再次踏上了太空征程,这似乎在告诉人类:照此下去,征服太空不是梦。

正在建造中的国际空间站外形图

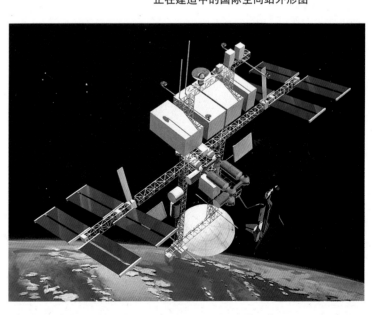

人类将怎样开发宇宙？

人类计划在不久的将来，在宇宙中建立太空站、宇宙工厂和空间城。

在太空建立实验工厂，可以生产优质半导体、光学玻璃、生物制品等，这种在太空轨道上飞行的实验工厂重100吨，每年能生产1000千克产品。从20世纪90年代末到21世纪，开发运用太空基地，包括一个永久性的有人航天站，运送人和物资的往返宇宙航行飞行器、卫星通信系统和支援系统等。

科学家们还设想，利用机器人在太空中建一座可住万人的空间城。城里有别墅、花园、山谷、河流、湖泊、商店、农场、医院、学校、体育馆、游泳池和娱乐设施。人类就可以实现到太空去旅游，到太空去居住的梦想。但要实现这一切，还需要我们几代人的艰苦努力。

未来人们乘坐怎样的交通工具？

科学家设想，在城市街道上，用自动人行道把繁华商业区以及其他公共设置联结成一个整体，使自动人行道成为居民出行的主要交通工具。

自动人行道可分快速道和慢速道。快速道的最高时速可达每小时25公里，相当于市区内公共汽车的速度；慢速道的速度是每小时5公里，相当于人的步行速度。在快速道和慢速道之间还设置有每小时3.5公里和每小时16公里的不同速度的输送带，为的是使人们在由地面、到慢速道、再到快速道，或由快速道、到慢速道、再回到不动的地面转换时，更加稳固，更加安全。而这种转换也只是举步之劳。所以说，在未来的世界里，我们会拥有更先进的交通工具。

未来的人们把以氢为动力的飞船作为主要的交通工具。

未来摩天大楼是"立体城市"吗？

未来的摩天大楼将比现在美国芝加哥市高110层、443米的西尔斯大厦还要高很多。现在建筑师们已经设计出200多层的摩天大楼。

摩天大楼好像一座立体城市。大楼内办公、住房、商店、邮局和各种生活娱乐设施一应俱全。在整座大楼中间的空心地带将修成露天中庭，或栽培花草树木，建成楼内花园。

摩天大楼的电梯是大楼内的主要交通工具。装置在楼外的是透明电梯，乘坐它到达楼顶，一路上去可以尽情观赏城市美景。而楼内的电梯，就是这座"城市"的公共汽车，有常规的单层电梯；也有双层电梯；还有只限在某些层次行驶的区间电梯；更有高速直达电梯。电梯的升降速度可达每分钟600米。因此，上下摩天大楼是非常方便的。所以，未来摩天大楼就是一座"立体城市"。

未来的人们将以月球作为前往其他星系的跳板，并在月球建立永久定居点，以减轻地球的环境压力。

为什么说未来的家庭全部自动化？

多功能的电脑将进入千千万万个未来的家庭，实现家庭生活自动化。

只要预先把程序输入电脑，家中的家用电器就会在电脑的控制下工作、启动、调节，完成后自动关闭等，从事烧水、做饭等家务劳动。这些也可以用遥控来实现。当你出门在外，通过电话通知家中的控制系统，为你回家提前做好各种准备。如家中的空调马上启动，洗澡用水自动开始加热，厨房中的微波炉立刻开始工作。

未来的交通控制将全部由计算机控制，人们的工作只是使计算机系统正常工作。

未来的家庭全部实现了自动化、智能化。

当你乘车回到家里，房门上的识别装置会使大门自动为你打开。回家后可以及时吃上可口的饭菜，并能洗上热水澡。通过遥控装置，你还可以随意选择电视节目。那时，人们将会从繁重的家务劳动中解放出来，过着一种新颖的、具有创造性的生活方式，家庭生活也将更加方便、舒适和充满情趣。

为什么未来计算机将成为常用的学习工具？

在我们未来生活里，常用的学习工具将是计算机。计算机将成为学生掌握知识、开发智力、提高能力的好老师、好帮手。我们的学习将会更加快捷、方便。

计算机会成为各科课堂的有效教学辅助手段，比如，难理解的原理、概念，难以观察到的自然现象，都可以通过计算机来模拟。化学试验的每一步骤可以在计算机上清晰地显示。学生的家用"电脑学习机"会指导和帮助学生复习和预习功课。计算机可以根据老师讲授的内容，向学生提出问题，检验学生掌握知识的情况。可以把学校、家庭和教学中心的计算机连起来，形成全国性的计算机教学网络，使学生不出家门就可以学到各种知识。所以，未来计算机将成为人们最常用的学习工具。

未来的居民小区是什么样？

为了克服高层建筑受风力影响大、地震时易倒塌和地面会下沉等缺点，科学家们从大树的结构中得到启示，又提出大胆的设想。

用钢筋水泥做成"树干"，把它牢固地"种植"在地上，在"树干"的四周安置多根横梁。

就像树枝那样伸展出去。一幢幢用轻质保暖材料制成的房屋，在工厂完成后，直升飞机把它们悬挂在一根根横梁上。就像一棵枝叶繁茂的大树，"树干"内安装的电梯是人们上下的通道。整个建筑就成了一个居民小区。

居住在小区里的人会感到特别安逸。房间里的光线充足、空气新鲜、生活安宁。房间的位置还可以任意调整。如果要是搬家，那是非常方便的事，只需把悬挂房间取下来，用直升飞机运到新的"树干"，再挂起来，人们就有了新居。

这种"大树"式小区不但建造起来方便，而且省工省料，也许会成为未来人们居住的主要建筑形式。所以，未来的居住环境会更加舒服。

未来的大楼将采用新型材料建成，采用流线型外形。